新潮文庫

さきちゃんたちの夜

よしもとばなな著

新

10321

目次

挿画・ほしよりこ

さきちゃんたちの夜

スポンジ

「久しぶりに連絡をして、その上にこれじゃあ、そりゃあ、いやな質問だと思うけど、高崎の部屋の鍵《かぎ》なんて、もう持ってない？　早紀《さき》ちゃん。」

飯岡くんから、急に電話がかかってきた瞬間に、私はほんとうにいやな気持ちになった。足元にどろっとした沼ができてぐっと引き込まれるみたいな。

「なんで？」

私は言った。

夫は向こうの部屋でＴＶを観《み》ていた。お笑い番組の楽しそうな、そして乱暴で強引に部屋の空気を変えてくれるはずのその音声がとても遠いものに聞こえてきた。さっきまでその音は私の生活の一部だったはずなのに、なんで今はこんなにへだてられているのだろう。

それは高崎くんの持つ、人を寄せつけないあの独特な雰囲気が、すっと部屋に入ってきたからだった。

「いや、連絡がとれないから、心配で。」

飯岡くんは言った。

「部屋の中で死んでるんじゃないかと思って。」

「まさか、あの人、まだあの部屋に住んでるの？　お金入ったのに？」

私はびっくりして言った。

彼が住んでいたのは、中目黒にほど近い古いアパートだった。

四畳半と六畳、風呂《ふろ》なし、シャワーだけ。トイレはいちおうあるっていうのが笑っちゃうくらい、あとからてきとうにくっつけたんだなあ、というのが丸わかりの、シャワーとトイレの小さなユニットだけがピカピカな部屋だった。

私はそこの窓から、目黒川の桜を見ていたのだ。床を磨き、ごはんを作り、彼の手書きの原稿をＰＣに向かいながら清書し、時にはそこで眠り、また目覚め。よく徹夜しては昼近くに起きて、ひとり川べりを散歩した。永遠にこのままの時間が続くといいなとうっとり思いながら、ゆっくりとカウブックスに歩いていって、時代を超えてきたすてきな本たちを立ち読みしながら、熱いコーヒーを飲んだ。一瞬一瞬の一粒一粒がせっぱつまって際《きわ》立《だ》ち、美しかった。

高崎くんの名前を聞いたとたんに、私を日常からさえぎり覆《おお》ったもやみたいなもの、その分厚さをじっと見つめて、彼の底知れないパワーをまた感じた。彼がいったん書くのをやめたとき、がっかりしてしまった私は、夫への恋の力を命綱にしてなんとか生き延びたのだった。

「うん、先月までは確実にいたんだけど。」

飯岡くんは言った。

「ここまで連絡がないのは、珍しいと思って。死んでるのかなって。」

「大家さんか不動産屋さんに頼んではいかがでしょうか？」

私は言った。

「それが筋だよ、だって私、結婚してるんだよ。もう関係ない人なんだよ。」

「あの早紀ちゃんが、そんなこと言うのか。」

飯岡くんは悲しそうに言った。少しも怒ってない、悲しそうな声だった。

私も悲しかった。

なにかにいつのまにか賭《か》けて没頭することができるのは、なによりすばらしいことだ。でも、そのことで体を壊したり、疲れてしまったり、自分の人生がなくなってしまったり、不安になるようだったら、それは間違っているし長くは続かない。

私は高崎くんを尊敬していたし崇拝していたけど、恋はしていなかった。恋とは、今あっちでTVを見ている人としたようなもののことだ。いっしょにいるというだけで、あとからあとから不思議と生きていく力が湧《わ》いてくるもの。でも、高崎くんはただ心配なだけだった。心配で、彼の存在が貴重すぎて、なんとか力になりたくて、自分が見えなくなってしまうくらい。

あの頃の私を、飯岡くんがどんなふうに思っていたのかは知らないけれど、きっと今も高崎くんを応援する仲間だと思っているのだろう。

「それもそうだよな、ごめんな。高崎は家賃をすでに一ヶ月滞納してるから、もしなんでもなかった場合、もめるかなと思って、なるべく不動産屋と大家には頼らないで解決しようと思ってしまったけど、考えてみたら、あれはもう何年も前のことなんだね。悪かった。」

飯岡くんは言った。

「持ってるよ、鍵、持ってる。取りに来て。」

私は言った。

私の中のもう一人の私が勝手にそう言った。青春の全《すべ》てを高崎くんに賭けていた私が。

「ありがとうな。」

飯岡くんは電話の向こうで涙ぐんでいた。

私は後悔しないと自分の中でぐっと決めて、今住んでいるところの住所を告げて電話を切った。やるならとことんやってやる。逃げない。そう決めた。

リビングに戻ると、夫は言った。

「早紀ちゃん、なんかまた仕事で無茶なことしようとしてるだろ。」

私は言った。

「ううん、別に。」

「顔つきでわかるんだ。」

夫は言って、それ以上はなにも追及しようとしなかった。

彼はそういう人だった、どんなに心配していても、ふだんの生活ではぺらぺらと口を出さない。ただそこにいようと決めて、いる。そこがいちばん好きになったところ。

ただひとこと言った。

「今は、自分以外の命を持って歩いてるんだから、とことんまでやることはひかえて。」

私は黙ってうなずいた。

ほとんどつわりもなかったから、いつも通りにだらだら過ごしてしまったけれど、いつのまにか妊娠六ヶ月になっていた。お腹《なか》の中に入っているのは女の子だそうだ。

このところ、夫の背中が急に「父親」の形になったのにびっくりしていた。夫婦対等の世界ではなく、もうひとりがすでにふたりの間にいる。彼ももうすっかり自分の内側にいる女たちの外枠を守ろうとするかまえになってきている。

私もそれにならって素直に変化していこう、と思っていた矢先の電話だった。

よし、面白い。なにが試されようとしているのか、見てやる、と私は思った。

小さい出版社なので書籍の編集の部署から動くことはまずないだろうと思うから、今、高崎くんが休筆していようが、こちらはこれから産休に入る状況であろうが、私が彼の担当編集者なのだ。

今はもう、まれにある増刷か文庫化か舞台での上演や映画原作のときの手続きくらいしか関わっていないが、この件は私がまだ担当しているのだから、私はほんとうなら高崎くんの居所がわからなくなったからってのうのうとしていてはだめなのだろうし、自分が動くことは順当なことだった。

「うわあ、妊婦だったのか！」

飯岡くんは玄関をあけるなり言った。

「悪かった、ほんとうに悪かった。俺帰るわ。鍵だけよこして。」

「そんなこと言わないで、上がっていきなよ。私これから会社に顔出すつもりだから、あとで駅まで送ってくよ。」

私は言った。

「運転するの？　まずいんじゃないの？」

飯岡くんは言った。

「近所だし、まだ大丈夫よ。」

私は言って、台所に立った。夫のせいで、うちはがらくたみたいに見えるものがいっぱいあって、棚も、レンジを置く台も、なんでも夫が作ったものなので、変な風情《ふぜい》ある雰囲気にあふれている。

「なんか遊園地みたいな家だな。」

飯岡くんは笑った。

「変わった人と結婚したもので。」

私は言った。

「彫刻家だっけ？　陶芸家だっけ？」

「彫刻。よく駅前とかにある変な像みたいなの創《つく》ったり。海外で人の家の庭に創るもののために滞在したり、変わった仕事だよ。お金も入るときと入らないときがまちまちでね。面白いよ。面白がってばかりもいられないけれど、共働きだし、なんとかなってるの。この部屋は彼のおじさんの持ち物で、安く借りているし。だから、私は落ち着いてる、なにを言ってくれても大丈夫よ。」

私は言った。

「飯岡くんは、今はひとりなの？」

「いや、ひとりじゃない。高崎とはくされ縁みたいに続いてる。」

「なんだ、じゃあ、ほっとした。」

私は言った。ほんとうにほっとした。いろんなことが全部なくなったわけじゃないんだ、続いているものもあるんだ、と思った。

「彼が書かない期間に入ったら、急にこっちの熱もさめて、かなり友達っぽい感じではあるけど。」

飯岡くんはゲイで、当時から高崎くんの恋人だったのだ。

「それに、ちっともほっとしないよ。いくら週一くらいでしか会わないとは言え、なんで俺になにも言わずに消えるの？」

「そうよね。……っていうか、なんで飯岡くん合鍵持ってないの？」

私はたずねた。

「俺、面倒くさがりで、あいつの家に行くときはいつでも、植木鉢の下に鍵を入れてあるのを使ってたの。でも、連絡取れなくなってしばらくしてから、行ってみたら、鍵がなかったの。」

彼は言った。

「なんだろうね？　それ。」

私は言った。

「わからないんだ。」

彼は暗い顔で言った。高崎くんは芸術家肌なわりにはマメな人で、恋人に連絡なしに消えることはあまり想像できない。確かになにかが起きているのかもしれない、と私は思った。

「飯岡くん、こわいんでしょ、行くの。よかったら私もいっしょに行く。」

私は言った。

「だめだよ、胎教に悪いよ。」

飯岡くんは真顔で言った。

「大丈夫、この子は私の子、絶対強い。」

私は言った。

「今から会社行くんだろ？」

飯岡くんは言った。

「お腹が痛いから、病院に行く、今日は家で作業しますって電話したら、大丈夫だよ。」

私は微笑《ほほえ》んだ。

「……ありがとうな。」

飯岡くんは言った。

ほんとうは弱虫で、かわいい飯岡くん。顔を見たら、急に電話してきて甘えられたことなどなんでもないと思えてきた。彼が懐《なつ》かしかった。毎日のようにいっしょにごはん食べたり、川縁《かわべり》のベンチで並んで座ってコーヒーを飲んでおしゃべりしたこと。うたた寝している寝顔が子どもみたいだったこと。高崎くんと飯岡くんと過ごした時間は勢いにあふれていてお祭りのようだった。

「ともだちだもん。」

私は言った。

高崎くんには妙な力があって、いろんな人の様々な状況を何の気なしに当てたりしたし、文章を書きはじめると神がかったようになって止まらなくなり、それで書き上げた三冊の本は当時ものすごく売れた。

私は編集者になったばかりの頃、もともとともだちだった飯岡くんに紹介されて、彼の文章を読んだ。

エッセイとも小説ともつかないその世界は、昔一世を風靡《ふうび》した「ダス・エナーギ」という本にどこか似ていた。人の心を刺激し、ふるいたたせ、別の角度から世界を見ることができるような。自由な心の飛翔《ひしょう》、日常を違う目で見る、子どものような、神様のような。そんな散文からなる本だった。

高崎くんは小さい頃に交通事故にあって、右足をいためたり頭部の手術を受けていて、心臓にもその事故のせいでちょっとした欠陥があった。

子どもで回復が早かったのでいちおう全て治ったそうだが、いつも顔色が悪く、体が弱い人だという感じは否《いな》めなかった。

そして彼の持っているいさぎよいはかなさというようなものは、ある朝起きたら彼はもう冷たくなっているんじゃないか、といつでも思わせられるものだった。熱中して書いているときの彼は夜も寝ないし、ごはんもほとんど食べなかった。書いている彼をそっと隣の部屋において、私と飯岡くんはそうじしたり、消化がよい食べ物をいっしょに工夫して創ったりした。

　私も当時中目黒にひとりで住んでいて、うちから彼の家まで歩いて五分くらいだった。呼び出されればすぐに行けたから、いっしょに本を創ることに対する情熱はどんどんヒートアップしていった。

　本が売れたことで私の属している小さな出版社もうるおい、私はどんどん高崎くんにのめりこんでいったし、社長もそうしろ、もう体を投げ出してでも原稿を取れ、と言わんばかりに応援して出資してくれたので、その時期私はほとんど高崎くんの仕事しかしていなかった。

　夜中に「今からごはん食べに行きませんか？」と電話がかかって来ては、近所の居酒屋でしょっちゅう集合したこと、そんなときひとりで川縁をずんずんと店に向かって歩いていくと夜中の空気がきらきらと肺に入ってきて、星のまたたきがきれいすぎて、大好きな人たちに今会いに行ける自分はとても幸せだなあと笑顔になったこと、みんな覚えている。

　もちろんごちそうするのは出版社のお金を持っている私だったから、利用されているのかな？　と思ったこともあったが、プライベートの時間に会うときは、ふたりはきちんと線をひいていて、安いお店ではあったがいつでも私にごちそうしてくれた。そんなふたりの育ちの良い夫婦みたいな感じも好きだった。「いつもごちそうになっちゃ悪いよ」「そうだな、今日は俺が払うよ」ゆずりあうふたりのひそひそ声は、私を少しだけ幸せにした。

　いくら飲みに行っても同じ部屋にいても襲われる心配もないから、気持ちも楽だったし、いい本を創りたいという方向性がはっきりとあったので、だれひとり道に迷うことはなかった。その三冊の本を次々完成させることに向かって、気持ちがひとつになっていたのだ。

　取材もめったにうけずサイン会もしない高崎くんだったから公《おおやけ》の仕事はあまりなかったのに、私は充実していた。

　会社に欠勤の電話をして、ありえないくらいのローヒールの靴を履いて、高崎くんの家の鍵と母子手帳とおさいふとハンカチだけ入った小さなバッグを持って、車のキーを持って、飯岡くんといっしょに部屋を出た。

　なにを見てもいい、自分で決めたんだ、そういう気持ちを抱いて。

駐車場で私の小さな車の助手席に彼を乗せて車を出したとき、飯岡くんは青ざめて無言だった。

飯岡くんと私の間にはそのとき濃厚な死の気配が漂っていた。あんなに体が弱いのに、あんな不規則な生活をしていたら、いつ死んだっておかしくはない。夜中に心臓発作を起こしたのではないか、定期検診にも行っていなかったみたいだから、実は大きな病気だったのではないか、そんなことを思うたびに、あの家の中でひっそりと死んでいる高崎くんの姿が浮かんできた。

不思議と罪悪感はなかった。高崎くんはそもそも人に甘えたりなにかを期待したりする人ではなかったからだ。そういうのを超えているというと宗教のようなのだが、ほんとうにそうだった。彼の透明な瞳《ひとみ》には人間の営みなんてちっとも映っていなかった。他人の思いやつごうも一切見えないか、見ないようにしていた。彼はそのとき自分がするべきことしか見えない人だった。

だからたとえ死んでいてもいいはず……そう思っても、私たちの心の中には、暗い洞窟《どうくつ》のようにしめった感触で、彼の死の雰囲気がひたひたと迫ってきていた。

「道覚えてる？」

飯岡くんがやっと口を開いた。

「うん、中目黒には私も住んでいたから。」

私は答えた。246から川沿いの道に入ると、急に道が静かになって桜の木のシルエットだけが鮮やかに見えるようになる。川沿いの家の人たちの窓が生活の匂《にお》いと共にずらりと並んでいる。ゆっくり走っていると、桜の季節のことが思い出される。

「花見もしたねえ。」

私は言った。

「とにかく混んでたよな、露店がたくさん出て、その期間の酒代と食費が安く上がるんだよね。」

飯岡くんは言った。

「今年も高崎くんといっしょに行ったの？」

私は言った。

「行ったよ。焼き鳥食べて、ビール飲んで、なんだか俺たちいつまでも若い感じするな、って話をしたよ。ここらへんにいるとまわりも若い奴《やつ》ばっかりだから気持ちが老《ふ》けないなって。」

飯岡くんはやっと笑った。

「いいね、変わらないね。」

私は言った。

「子ども産まれて落ち着いたら、また私も子連れで参加したいな、たまに。また仲良くなろうよ、前とは違う形で。そしてまたいつか彼が本を書いてくれるといいな。」

「そんな話、奴ともしてたんだ。」

飯岡くんは言った。

「高崎の本のブームみたいなのもいったん落ち着いたし、引っ越しちゃったけど早紀ちゃんは都内にいるし、そろそろ生活も落ち着いただろうから、また声かけてみようかって。高崎は『本も書けないのに呼び出したら悪い気がしてたけど、また書くようになったら、会ってくれるかな』って言ってた。」

「そうなんだ、じゃあ、ぜひ実現させましょう。」

私は言ったが、死の重い香りは車内に充満し、そんな未来などない、となにか気持ちの悪い暗い存在が自分たちにささやいているような気がした。

「ねえ、なにか心あたりはないの？」

私は言った。

「いくらなんだって、なにもないってことはないでしょう？」

「俺の感じだけなんだけど、心あたりと言えば、ひとつだけ。一ヶ月前に、飲み屋でひとりで飲んでいたら女にナンパされたって言っていたんだ、高崎。」

飯岡くんは言った。

「その人とかけおちして、どこかに行っちゃったってこと？　まさか女と!?」

私は言った。

「うーん、そんなに好感を持ったっていう感じでもなくってさ。」

飯岡くんは首を傾《かし》げた。

「でも、なんか、体を健康にしないと、またいつか本が書けないから、鍛えたいって
その女の話をしながら、言ってたんだよね。その感じが、ちょっと印象に残ってる。」

「かなり鍛えてる女の人だったのかな。」

私は言った。

「ヨガの先生だって言ってたような気がするんだけど……。」

飯岡くんは言った。

目黒川沿いでは春になると、桜が川にかぶさるように枝を伸ばし、ピンクの花びらをいつもこれでもかというくらい散らす。ライトアップされた夜桜にむらがる人たちは、今しか人生がないみたいな夢中な顔をして、桜を眺めていた。

今は夏のはじめ、青葉が蛍光色みたいにむんむんとした濃い気配を発散している。

もうすぐ夏の夜の匂いがあたりに満ちるだろう。

高崎くんの家からいちばん近いパーキングに車を停め、私たちは午後遅い時間のゆるい光にあふれる川沿いを歩いていった。昔のようにはりつめて美しい気持ちではなく、なにか暗いものを抱えているような気持ちで。彼の輝きがやはり短い幻だったことを突きつけられるのがこわかった。いくら心がダイヤモンドみたいに硬く強く、遠くまで飛翔できても、現実の中では体が弱いただの人間で、結局無理してだめになってしまったんじゃないかと。

川は薄汚れてはいるけれどのどかに流れ、わずかに水の匂いがしていた。

「夜じゃなかっただけ、ましだと思う。あと、俺今ひとりじゃない。」

飯岡くんが言った。

「そうだよ、ふたりで分けもてば荷物も軽いよ。あ、今だとここには三人いることになります。」

私はお腹を指差した。

「赤ちゃんがいるのに、ほんと、ごめん。ありがとう。」

飯岡くんは言った。

「いるからこそ強いんだよ。」

私は言った。

この飯岡くんにも高崎くんにも親がいて、彼らだっていつかこんなふうにお腹に入れられて運ばれながら育っていったのだ、そう思うだけで、ふたりともが愛《いと》おしかった。

「それに、音信不通になっちゃって、ほんとうにごめんね。夫のアトリエみたいなものがある横浜のはずれと半々くらいで暮らしていて、子ども産むことになったから私の実家があるこっちに戻って来たんだ。横浜のはずれってのどかで、そこで暮らしていたら、あっというまに時間がたっちゃって、今、浦島太郎みたいな感じなの。」

私は言った。

「いやいや、当然だよ。結婚ってそういうことじゃん。もう本も出してない作家なんて、関わる必要ないだろう。もしかしたら高崎死んでるかもしれないのに。いやだよね、ほんとごめん、頼りにしちゃって。普通、あっさり電話切られて終わりだよ。早紀ちゃんはほんとうに男前だ。」

飯岡くんは反省モードに入りだしたらしく、しきりにあやまった。これも高崎くんの部屋に行くことからの逃避のひとつの形なのだろう。

「まだ彼を担当してますからね。」

私は言った。

それでも高崎くんの部屋の前に立ったら、変な気持ちがした。全部がぎゅっと濃くなったような、悪い夢の中でもがいているような、酸素が少ないような。

私と飯岡くんは、全く同じ気持ちを持って、鍵穴に鍵を差し込んだ。

その瞬間、飯岡くんがここに来るのに私を頼った、私しか選べなかったことを痛いほど理解した。同じ気持ちでここに立てる人が他にはいなかったのだ。そのくらいあの頃私たちはひとつの流れに乗って、うまくいっていた。

私は幽体離脱したみたいにふわりと体から離れて上からふたりを見ているような気分になった。ぬるい空気の中で妙に深刻に、ぐっと体をこわばらせたひと組の男女。ドアの前でぎくしゃく動いている。にこっとして肩をぽんとたたいて、言ってあげたくなった。大丈夫、ふたりは全く同じように緊張している、そのことだけでもかわいらしくて、なんでもかんでもあらかじめもう救われているさ。

いつもみたいに、と言ってもすごく久しぶりのことだったけれど、全く当時と変わらずに鍵はあいて、ドアは開いた。

「さすがにここは俺が先に行くわ。」

飯岡くんは言って、玄関に入った。

私はごくりとつばを飲んで、まず匂いをかいだ。

妊婦は匂いに敏感なのだ。

私のセンサー、赤ちゃんを守る力には、なんの異臭も届いてこなかった。

ほこりと、こもった空気と、高崎くん特有のちょっと甘いいい匂いと、ちょっとだけかびくささを感じたが、人が死んでいたらもっとたいへんな匂いがしているだろう。

大丈夫だ、中で死んでない。私は確信した。

「大丈夫だよ、中で死んでない。匂いがしないもの。」

私は感じたままをすぐに口に出した。その声は神託のようにきっちりと深く低く、部屋の中にこだました。

「ありがとう。」

飯岡くんは言って、どんどん中に入っていった。

私も後に続いた。

「ベッドルームにはいない、ここにはいないみたいだ。置き手紙もないけど。」

飯岡くんは言った。少し明るい声だった。

「携帯が充電しっぱなしだから、連絡来ないのはしかたないっていうのは、わかった。あいつ携帯を忘れて出たんだ。」

私は、もうひとつ唯一《ゆいいつ》調べるべき場所があるとしたら、あの安っぽいバスルームだと思っていたので、飯岡くんのいる奥の間には行かず、バスルームとトイレのドアを開けた。

床に変な丸く茶色い大きなものがぽつんと落ちていて、私は一瞬叫びそうになったけれど、すぐに思い出した。

それは、巨大な海綿の天然スポンジだった。

そうだ、これは彼が学生の頃貧乏旅行でひとりでギリシャに行ったときに、海綿ばかり売っているお店で買ってきたというものだったっけ。

おじさんが壁まで高くつみあげられた海綿にホースで水をかけてふっくらさせながら、大小さまざまな海綿を売っている海綿屋さんの様子を、高崎くんは楽しそうに語っていた。

私は、自分でも、なんでそんなことをしたのかわからなかった。

飯岡くんが後ろにやってきているのを知りながら、言葉では「バスルームでも死んでない、ただるすなだけだね」と和やかに言いながら、どうしてもそうしたくて、ふりむきもせずにスポンジに手をのばしたのだ。

私の顔くらいに大きな海綿はほんの少しまだ湿っていて、彼が最後にこれを使ったのがそんなに昔じゃないことがわかった。私はスポンジに顔を埋めて、匂いをかいだ。かびみたいな匂いと、湿った水の匂いと、石けんの匂い。脳に届いてくるみたいな、知らない匂い。

それは多分一瞬だったのだろうけれど、私は過去に持っていかれた。

そうだ、海綿の話していて、あれ？　あれは夢じゃなかったんだっけ？　その頃の私は高崎くんとたまに言葉に出さなくても気持ちが通じることがあったし、睡眠もなにもかもでたらめだったので、夢と現実が多少ぐちゃぐちゃになっていることも多かった。

編集者ってそのくらい、作品に寄り添っているものなのだ。異動になるとさっぱりと担当を離れて去っていくのは会社員だからしかたないのだけれど、もちろん会社員である前にひとりの人間だから、内心くやしくて半泣きのことだってあるのだ。一緒に小説を作っている期間はいつもどこかで作家とつながっていて、眠れなくなったり変な夢を見たり、相手が調子悪ければどんよりしてくるし、冴《さ》えに冴えていればどこまでもいっしょに走れるし、なによりもその期間、良い編集者はその作品の中にいっしょに住んでいるのだ。作家が自分のイメージ通りにシュートしてくれるのか、ホームランを打ってくれるのか、どきどきしながらいちばん近くでプレイを見ている観客なのだ。まるでプラネタリウムのドームを見上げるみたいに、同じ世界を見上げているのだ。それがたとえ人工の星空であっても、同じ夢の中にいるあいだは、まるで自分が書いているみたいに、ほんものよりも生々しくドキドキしているのだ。

高崎くんが書かなくなったのと、私が結婚して仕事を少し減らすことになったのは、だいたい同じ頃だった。印税生活の豪華さで飯岡くんがちょっと太ってきて、彼らの関係がちょっとだれたのも、だいたいその頃。それはある時期が終わっただけで、まるで果物が熟して地面に落ちただけみたいな、自然なことだった。

三冊でこのシリーズは終わりだからもう書かないかもしれないけれど、今種を蒔《ま》いておいた土からまたいつか芽が出てくるだろう、と高崎くんはのんきにかまえ、高崎くんのマネージャーみたいな気分でいた飯岡くんはしょんぼりしてまた就職して仕事をはじめ、そして、私はあの日、最後の本のできたばかりの見本を持って、ここへ来たのだった。

すでになにかが終わっていた。もう、あの生き生きした創作の流れはなく、枯渇《こかつ》しきった高崎くんは充電を必要としていて、実家である九州にかえって刺身や餃子《ぎょうざ》でも食べてくる、と言っていた。またいつか書くときが来たら、よろしくお願いします、なんてまるで普通の人みたいなことを淡々と言っていた。

そのとき、窓辺にはこのスポンジが干してあって、あれはなに？　と聞いた私に高崎くんは海綿の店の話をしてくれて、スポンジの向こうには桜の木が見えた。花は咲いていなかったから、春じゃなくって、あれっていつだったのだろう。あの頃の時間は熱くごっちゃになっていて、塊みたいに思える。季節が混じっている。

ありがとう、ここで過ごした時間、と私は思いながら、涙をこらえて見本をテーブルに置いた。飯岡くんが帰ってきたらいっしょに見てね。プロモーションのことなどは、だめもとでもまた連絡するね、と言って。

私が涙をこらえていたのを高崎くんは知っていた。

「器用にどんどん書けなくて、ごめんなさい。」

高崎くんは言った。

「いや、とんでもない。」

私はきっぱりと言った。

「あれだけ出し切ったら、休まないと。待ってますから。異動して営業にでも行かないかぎり、結婚していても仕事は完全には辞めないで編集部にいるから。いつでも声をかけて。」

高崎くんは私をぎゅっと抱きしめた。友達のハグだった。

私もその細い体を抱きしめた。よくこの細さの中からあんなたくさんの考えが出てきたものだ、この中にあの宇宙が入ってるんだ、と思いながら。いつでも顔色が悪くて、すぐ熱を出す、この偉大な特殊な才能を持つ人物を愛おしく思った。

そのとき、なにか違うものがちょっと通じ合ってしまったのがわかった。あれ？なんか違うぞ、という感じだった。ふたりはいつのまにか変な渦の中にいて、お互いがそれを変だと思った。

高崎くんはいきなり私にキスをした。

私は多少びっくりしたけれど、あまりにも彼と仲がよかったから、まあいいや、と思った。キスくらいならしなさいしなさい、私は婚約中だけどまだ人妻じゃないし。

「俺、女とキスしたのはじめて。俺、早紀ちゃんのこと好きになってたのかな、感謝のあまりに。」

高崎くんは言った。

「そう言われても。」

私は言った。

「もう少し試してみてもいい？」

高崎くんはもはや純粋に好奇心でそう言っていた。そうそう、なにに関してもこの人はこういう人だった、と私は思った。

これは意外な展開だなあ、と思ったけれど、そのとき鷹揚《おうよう》な私は、これもまた、まあいいや、となぜか思ってしまったのだった。祭りだ祭りだ、どうせ祭りなんだ、みたいな気持ちで。高崎くんは普通の男として私を床に押し倒して、セックスした。女性ともそういうことができるゲイの人がいることは聞いていたけれど、まさかこの人はそうではないだろうと思っていたので、びっくりした。

飯岡くんの留守中に、私は高崎くんと寝てしまった。青春ドラマに出てくるだらしない若者たちみたいに。

そう思ったけれど、きっと私たちふたりはただこうしたかったんだろうな、とも思った。ちょうど映画でカップルを演じる男女が現実の中でも抜き差しならなくなって、それなのに撮影期間が終わるとけろりとお互いを忘れてしまうみたいに。彼の書いた本の熱が、私たちをこんなふうにしているだけだと、わかっていた。

「あの、なにか、気づいたことありましたか？」

終わってから、服の乱れを直しながら、私は聞いてみた。

「男と女は、実によく創られてるってことがわかった。」

と高崎くんが言ったので、あまりの彼らしさに私は笑った。


あまりにも突飛なできごとだったし、一度きりだったし、そのまま会わなかったし、時間もたっていたし、あれって夢だったのかとさえ思っていたけれど、スポンジに顔を埋めたら確かに現実だったことを思い出して、恥ずかしくて飯岡くんの顔を見られなくなって、私はまだ海綿の匂いをかいでいた。飯岡くんが、

「早紀ちゃん、どうしたの？　泣いてるの？」

と優しく聞いてきた瞬間、私の口から、意外な言葉が出てきた。

私の閉じた目はなぜか別の景色を見ていた。インドの町が見える。リキシャが見える。建物が見える。アシュラムだ。わりと豪華で、清潔で、みんながいっせいに同じ形をして学んでいる……ピンク色、青、オレンジ、きれいなサリーをまとった女たち……パジャマクルーターの男たち、いろんな国から来た人たち……お香の匂い。いかにも達人そうなおじいさんもいた。それが先生らしい。

「大丈夫、高崎くんはインドにいる。ヨガをやってる。山も見える。空気がとてもき

れい。きっと健康になって帰ってくるよ。」

「なんでわかるの？」

飯岡くんは言った。

「この天然海綿スポンジにギリシャの霊力があるみたいよ。」

私は笑った。

「ええ？　そのスポンジに？」

飯岡くんはほんとうにこわそうに、私と海綿を見た。

「まだまだ見えそう、なんかもっと入っていくと、今の高崎くんが見えそう。」

そう言って、私は目を閉じたまま、その建物の中をずっと動いていった。そして白い服を着て、簡素な部屋の床みがきをていねいにしている高崎くんを当然のことのように見つけた。高崎くん、飯岡くんが心配してるよ、と言ったら、なんとなく聞こえたのか急に顔を上げた高崎くんと目が合った。その透明な目、吸い込まれそうな、懐かしい目。

そのとき、初めて聞く声が頭に響いた。

「ママ、もうやめて、帰ってきて。」

小さい子の声だった。そうか、そうだ、私は今、ママなんだった。

はっと目をあけて、お腹をなでて、ごめんなさいと思った。

そして帰ってきた現実世界は薄暗い汚いアパートの一室で、飯岡くんがいぶかしそうな目で、私を見ていた。

「早紀ちゃん、おまえって、いったいなんなの？」

「なんか、わかっちゃったんだよね。今。」

私は笑った。

「彼は無事だよ。ヨガの先生と逃避行してるんでもなくって、リトリートセンターというか、アシュラムというか、そういうところで、数週間のコースでヨガの特訓して、健康になろうとしてるよ。そのコースが今しかないとかえらい先生が今しか教えないとか、そういうことを言われて、ノリで行っちゃったんじゃない？　インドの片田舎だからネット環境も悪くて、あるいはその期間は世間との関わりを断つ決まりなのか、とにかく連絡できないんじゃないかな？　でも今目が合ったから、きっと連絡しようとしてくるよ。多分安心していいよ。もし連絡があったら、私がいっしょにここに来たことと、まだ作品待ってることと、もうすぐ子どもが産まれることを、伝えてね。

ほら、もう夕方じゃん、あの頃みたいに散歩して、源八に行って一杯やろうよ。私は飲めないから烏龍茶《ウーロン》だけど、妊婦だからお腹減っちゃった。ちょっと焼き鳥食べて帰りたいな。おごるよ。」

あなたの彼氏と一回だけだけど寝ちゃったおわびに、とは言えなかった。

あれから私はここに足を踏み入れずにすぐ人妻になってしまったので、高崎くんにも飯岡くんにも電話とメールでしか接していなかったのだ。

「早紀ちゃん、なんか俺も、よくわからないけど、気持ちが軽くなったよ。」

「どうせ家賃のこともあるし、帰ってくるか、家賃の振込のお願いをしてくるよ。死んでないって。本気で丈夫になりたいんじゃない？　体が良くなったら、きっと新しい境地も開けると思うし、よかったじゃない。思いつきでインドに行ってもらって。」

私は言った。

そして、あの頃と同じように私は鍵《かぎ》を閉めて、その鍵を飯岡くんに渡した。植木鉢の下の合鍵はきっと高崎くんが鍵をなくしたかなにかして、インドへの急な旅立ちとは違うときに持っていってしまったのだろう。そして、私の分の鍵は私にはもう必要のないものだから。

半信半疑ながらも死体がなかったことで少し元気になって、昔みたいによくしゃべるようになった飯岡くんと、まだまだ大きくなるお腹をもてあましている私は、このところお互いに起きたことなどをやっとしゃべりあいながら、桜の木の下を並んでゆっくりと歩いて行った。

三日後、高崎くんからメールが来たと飯岡くんから電話があった。

お昼ごはんを食べて窓辺のソファで寝ころんで、日だまりの中でまどろんでいたときだった。ぼうっとしていたので「よかったね」くらいしか最初言えなかったけれど、やっぱりそうだったんだ、あのとき目が合ったのはたしかだったんだ、と思った。

不思議だけれど、深く考えなければ不思議というほどのことでもない。世界はいつでもつながっているし、開かれているのだと思う。

飯岡くんがふだん使っているややこしいメールアドレスを高崎くんは覚えていなくて、簡単なほうのGmailのアドレスに送ることを昨日急に思いついたらしい、と飯岡くんは怒りながら言っていた。心配かけやがって、と。

「高崎くん、丈夫になるといいね。」

私は言った。

「早紀ちゃんも、元気な子どもを産んでね。」

飯岡くんは言って、電話を切った。

未解決のことが全部きれいにならされて、あとにはきれいな景色だけが残った。

私は、あのとき、電話を切ってそれきりにしたかもしれない自分のことも思った。それでも今の自分の人生にとっては大差ない展開だっただろう。でも、子どもを産む前の整理整頓《せいとん》の時期にある自分にとって、そのできごとに参加したことはなんだかとてもすっきりすることだった。のびのびと広くて、空気がよくて、すがすがしくて……あのかいま見たインドの高原、遠い山の緑が連なるきれいな景色がずっと心に残っていて、やっぱり自分がお人好《ひとよ》しのバカでよかったなあ、と思っていた。

鬼っ子

「私は、あの人、そんなにもひどい感じがしなかったから、ちょっと様子を見に行きましょうか。ほうっておいていいものかどうかわからないようなら。だれもあっちに行ってないなら。」

おばさんの四十九日の集まり、いつも法事で使うお座敷のあるそのお店で仕出し弁当を食べながら私がそう言ったとき、母や、母方の親戚《しんせき》やいとこの間から、小さなどよめきが起こった。

「やっぱりあの子はちょっと変わってるから……」そういう雰囲気がこもったどよめきだった。

私ははずかしくなって、目をふせて畳をじっと見つめた。

亡《な》くなったおばさんはそんなにまでみなの気持ちを重くさせていたんだ、と私はびっくりした。

おばさんは母のきょうだいの中でいちばん上の姉だった。

亡くなったそのおばさんが長女、次女がいて、さらに長男がひとり、母は末っ子、四人きょうだいだった。

母の兄である長男と姉である次女は実家の近くに住み実家の酒屋をいっしょについでいるくらいに仲がいい。経営的なことは長男がやっていて、実務を回しているのは次女だった。母もしょっちゅう実家に顔を出していた。こんな密な家族からひとり抜けていったのが亡くなったムメさんというおばさんだった。

おばさんは親族とも母とも縁を切って、なんの身よりもない宮崎で一人暮らしをしていた。

しかも本人の希望だといってもうお骨になってから運ばれてきたので、みんなびっくりした。亡くなった知らせもしないでくれと頼まれていたと葬儀屋さんは言った。それから、そういったことのほとんどを裏の家の黒木さんという人が頼まれてやってくれているから、親族はなにもしなくていいし、お金の問題も身のまわりのものもきれいに整理してなにも残してないということも一方的に知らされた。

親戚たちはびっくりしたり、ただあきれたり、怒ったり、反応は様々だった。

おじいちゃんはもう亡くなっていて、おばあちゃんは寝たきりであまりものごとがわかっていないので、それがせめてもの救いだと母は言っていた。

「さすが、大学で幽霊屋敷研究会に入っていただけのことはあるね。」と母の兄であるおじさんは私に話しかけてきた。

「おじさん、よくそんなこと覚えていたね。」

私はびっくりした。

そんなこと自分でもすっかり忘れていた。そんな変な過去は忘れたかったのかもしれない。

「まずそんな会があることに、おじさんはいちばんびっくりしたんだよ。」

おじさんは言った。

「でもね、入ってないよ。合宿に一回ついていっただけよ。」

私は言った。

「あまり変わりないよ。」

おじさんは言った。

「そんな変な合宿があるなんて、マンガみたいだと思って、覚えてた。」

酒屋の経営のかたわらプロのイラストレーターもやっている彼は芸術家肌の人で、少しすっとんきょうなところや変わったところはあったけれど、それでも亡くなったおばさんに比べたら、人づきあいも評判もずっとよかった。

「ねえさんは、鬼を求めて宮崎に行ったんだ。」

おじさんは言った。

「岡山じゃなくって？」

鬼が島があるのは岡山だと思っていた私は、そうたずねた。

「ねえさんが住んでいたところの近くにある青島には、鬼の洗濯板っていう場所があるんだよ。あの景色をたいそう気に入ったと、まだ人と話をしていた頃のねえさんは言っていたよ。そして、僕が最後にあの人をたずねていった親戚じゃないかなあ。だんだん居留守をつかうようになって、昼と夜が逆転して電話にも出なくなり、手紙の返事も来なくなり、たまにうまくつかまっても、やることがたくさんあるのに時間がないからもう来ないでと言われたりしたからなあ。まさか死んじまうという意味だったとは。」

「心臓が弱かったからね。」

母が言った。

「いつ死んでもいいから、好きなことをするっていうのが、若いときから口癖だった。」

おばさんは七十で亡くなったのだ。

「宮崎も行きたいし、ちょっと様子だけ見て、少しものをよりわけて、あとは業者に頼むようにすればいいでしょう。」

私は言った。

「金目のものがあったら、ちゃんと知らせますし。」

「それは、ないんだよ。ほんとうにじょじょに処分して、みなしごのための施設に送ってしまったって。」

おじさんは言った。

「ほとんどもうなにもなかったみたいだから。」

「じゃあ、やっぱりいい人なんじゃないの？」

私は言った。

「いい人であるもんですか。きょうだいに干渉されたくなかっただけだと思うわよ。」

母は怒ったような口調で言った。

「ねえさんは私たちを捨てていったんだもの。私は何回も電話したり、手紙書いたり、訪ねたりしたのに。雨の日にドアの前でずっとチャイムを鳴らしていたのに居留守をつかわれたときのあのみじめな気持ちは、忘れられない。せめてひとめでも顔を見せてくれたら、許せたのに。」

「つまり、そういう人づきあいをみんなやめると決めたんじゃないの？」

私は言った。

へたにうまく立ち回らずに、ひとりになると決めたらなる、人生がもうあまり残ってないとわかったから、思い切ってほんとうにそうしてみる、そんなおばさんの気持ちが私には少しわかる気がしたし、そんなにひどいことには思えなかった。家族や親戚に囲まれているなら意にそわない場所で死ぬのであっても幸せだとなんとなく思い込まされているけれど、そしてもし自分に家族ができたら私は家族の近くで死にたいけれど、ひとり身ならそういう死に方がしたくない人も中にはいるのではないだろうか。そう思う権利は常に人にはあるのではないだろうか。

「あんたとは関係性が違うから、私はわりきれないわよ、そんなふうに。鬼の人形ばっかり創《つく》ってるうちに、きっと心が鬼みたいになっちゃったんだよ。きょうだいの気持ちもわからない人に、芸術作品なんて創れるはずがない。ねえさんは逃げただけだ。なんの責任もとらず、勝手に生きて死んだだけで、ほんとうに鬼みたいな仕打ちだと思う。死んじゃったら関係の修復もできない。お骨だけ見せるなんて、やりきれない。ほんとうに世間知らずのまま。」

自分だけいろんなことをきれいごとで覆《おお》う気持ちは全くなかったが、自分の母が言っているとは信じたくないような内容だった。お母さんのほうが今よっぽど鬼に見えるよ、と言いたかったけれどやめておいた。

いちばんおばさんを慕っていた母が彼女を思う気持ちは、憎しみに生まれ変わって生き続けていた。そういう変換の過程を含めた全《すべ》てを断ち切りたくておばさんはむりに縁を切ったのではないだろうか。マメで愛情深い母は、いったん受け入れてしまえばきっと年に一回はおばさんをたずねにいって泊まったりしたと思う。

みんながよかれと思ってするそういうことの全てがおばさんはいやでいやでしかたなかったのではないだろうか。

「だいたい、ご近所ともちゃんとしたおつきあいがあったのかどうか。自分勝手に暮らしたいだけであんなひとりものの変わった人が越してきたって、近所の人は困るだけでしょう。そういうことも一切考えずに行ったに決まってる。みんながみんな思うように好きにしてたら、世の中はめちゃくちゃになっちゃうよ。」

母の文句は続いた。

こういう気持ちはとげのようなもので、いつまでも刺さったまますっとうじうじと心を蝕《むしば》むのだろう。幼いころうちとけていた時期があるだけに、この件に関して母はかたくなだった。

「私は全然思い出がないから、逆に行けるよ。私の勤めている会社はギャラリーもいろいろやっているから、作品がもしあれば、興味があるし。」

私は言った。

「好きにしなさい、だれかが行かなくちゃいけないことだし。」

母は言った。

「あんたのそういうところ、ほんとうにねえさんに似てて、腹立たしい。なんでも気にしません、自分はダメージを受けませんっていう顔をしてさ。あんただって鬼みたいだと思うよ。」

母は言った。

そういうことを言われたら私だってもちろん傷つくんだけどなあ、と思いながら、黙っていた。

お母さんのそういうねちっこさと情をまぜこぜにしているところが、きっとおばさんはうっとうしかったんじゃないの？　とも言いたかったが言わなかった。

言ったらたいへんなことになる。これは愛情表現と執着の種類のひとつなのだ、と思ってぐっと耐えられるようになったのは、大人になってからだ。他のことではかなりあっさりしている母なのだが、このジャンル（人づきあい、気配り、感情を大げさに出すのがいいという考え）に関しては常にこうだった。母の個性と言ってもいいだろう。

母がこの性格なので私はいっそう考えを表情に出さなくなったし、なにごとにもいっそうさらりとしていたいと思うようになった。まさに反面教師だ。たぶん、私はおばさんに少し似ているのだろう。

まわりの人は、もうこの話題から離れて、やっかいなことをやってくれる人がいてよかった、お金の問題さえクリアになっているならもう関わらない方がいい、という感じで別の話題におのおのうつっていた。母は義理のお兄さんをつかまえて切々とまだ悔しさを話していた。

おじさんだけがまだ私を見ていて、そっと言った。

「ひとりで行くとちょっと心配だから、だれか連れてけ。」

「大丈夫だよ、とにかく行ってみる。なにかあったら連絡するし。」

私は言った。仕事でたくさんの人に会って人疲れしていたので、宮崎に小旅行は静かでいいかなと思ったから、もともとひとりでいくつもりだった。

宮崎には飛行機に乗ったらすぐについた。

空港でレンタカーを借りて、ナビの言うなりに走っていった。海がきらきら青く光って、フェニックス椰子《やし》がふんだんに生えていて、景色のあまりの豪華さに私は驚いていた。こんな楽園みたいなところがあったなんて。

おばさんの家は、青島に渡る橋のすぐ近くの古い平屋の一軒家だった。

もっと山の上にあってへんくつな感じのゴミ屋敷かと思っていたので、その清潔さえ言えるたたずまいにほっとした。清潔というか、清貧というか、とにかくただそこに古びた家がきちんと存在しているのです、という風情《ふぜい》だった。

おばさんは家の中で亡くなっていたそうなのだが、多少の貯金を残していたし、もしそうなったときは自分の貯金で後始末をしてほしいと遺言状に明記されていたらしいので、お葬式も部屋の清掃もいちおうきちんとなされていた。

だからそんなに放っておかれた感じはしなかった。その、裏の家の人がなにもかもやってくれたらしい、あとでごあいさつに行かなくては、と思い、東京からお菓子を持ってきていた。

こんなにきちんとやってくれたなんて、ありがたいと思った。

法事のときにみながうわさしていた、ひとりぐらしの頭のおかしい女の住んでいたゴミ屋敷、みたいなイメージは的外れだったのだ。

玄関の前で、私はイメージを勝手に抱いてしまうことについて、恥ずかしくそして空《むな》しく思った。いったいどれだけの情報がそんなふうに頭の中でできとうに処理されているのだろう。傲慢《ごうまん》な美人、頭の悪い巨乳、マメそうなイケメン、ケチな年寄りは貯金がある、あの人は周りにちやほやされているから世間知らずだ、などなど、きりがない。実際に見たこともないものを語る世界って、きりがない分、なんて空しいんだろう。

そういう世界から静かに距離をおきたくて、おばさんはこんな暮らしをしていたのだ、そう確信した私はいっそう静かな気持ちでドアを開けた。

中は真っ暗で、そして悲しいけれどやはりちょっとだけ死臭が残っていた。わずかな、肉の腐った匂《にお》い。

私はおくさずに一歩入って、玄関のわきの小さな窓を開け、そして電気をつけた。

とにかくなんにもなかった。家具もない、本もない、テレビもない。

ただ、小鬼たちがいた。

異様な数の小鬼の像が、至る所に置かれていた。作品のクオリティはかなり高い。

メルヘン調でもなく、リアリズムでもない、ビリケンさんに少し似た、素焼きの小鬼。

「ああ、びっくりした。」

私は言った。

「みなさん、こんにちは、ムメおばさんの姪《めい》っ子の紗季《さき》です。」

小鬼たちがどよめいたような気がした。誤解を恐れずに言えばその感じは、心地のよいどよめきだった。親戚たちから発されたどよめきとは質が違う、もっとささやかで甘いものという感触だった。

私は、さてあいさつもしたし、と家にあがった。

小鬼は、玄関だけでだいたい百体あった。

その異様な数を思うと、人づきあいをしなかったおばさんの気持ちがわかる気がした。

これだけ創り続けようと思ったら、そりゃあ、そんな時間はないだろう。

私は胸がしめつけられる想《おも》いがして、鬼の中にしゃがみこんで、ちょっとだけ息を整えた。鬼がじっと私を見ていたが、やはり親戚ほどには心地悪くなかった。

私も鬼っ子の仲間なのだろうか。

その家はとても小さくて二部屋とキッチンしかなかった。いちばん奥の、庭に面した縁側つきの部屋がアトリエになっていた。そこではまだ焼く前の小鬼たちがずらりと棚に並んでいた。そして庭先には家庭用サイズの現代的な小さな窯《かま》と、畑があった。畑はのびっぱなしにはなっていなくて、まだ夏のなごりの芋の葉っぱや茄子《なす》、トマトらしきものが残っていた。

オーディオと少しのCD（クラシックと昔の洋楽ポップスだけだった）、数冊の本が、キッチンの脇《わき》の部屋にあった。ソファで寝ていて亡くなったらしく、ソファは処分されていて、じゅうたんにあとだけが残されていた。ソファのあったところのわきにつんである本のいちばん上はエドワード・ゴーリーのインタビュー集。

ふと開いてみると、そこにはメモがはさんであり、筆圧の高そうな字ではっきりとこう書いてあった。

「2011年の8月の21日に、私は死ぬでしょう。ここには、紗季が来る。紗季のお母さんを、私は最後まで好きだった。でも伝わる気がしない。期待もしていない。心の中のあの人にだけそっとお礼を言おう。思ってくれてありがとうと。紗季は私よりはいい時代に生まれたと思う。持てるだけの小鬼を持っていって、展示してくれないか。それから、庭の後ろに古井戸のあとがある。そこにいる小鬼は絶対とりはずさないように。もし展示で小鬼が売れたら（売れると思う）そのお金でそこを必ず祠《ほこら》にして、以降小鬼を動かさないで。不動産屋さんはよく知っていますので、大丈夫です。売るときはそこを外して売ってもらうように。その部分は今後裏の黒木さんに属する約束になっています。弁護士さんを頼んで土地の譲渡もいたしました。とにかくあのあたりをいじらないように。でないとたいへんなことになる。ムメ」

ありとあらゆる角度からぞっとしたが、私はものごとにいちいち動じない性格だった。なので、よし、とだけ思った。

おばさんはものがわかりすぎて、そして内面に深く入りすぎて、こういうことがわかる人になったんだな、と思う方が、もろもろ現実的に楽だったので、そうした。

おばさんはまだだれも海外に行けないような時代にNYに行き、向こうのゲイと偽装結婚してアートの世界に身をおいていた時期があった。心臓を悪くして帰ってきてからは居場所がないとあちこち転々として、結婚もせず、子どもも産まず、六十になったときに、ここに越してきた。

私はとにかくお花とお線香を買ってこなくちゃ、と思って、サンダル履きで外に出た。

となりの家のおじさんが玄関から出てきたので、挨拶《あいさつ》をした。

「変わってたけど、いい人だったよ。」

と、そのはげていてステテコをはいたおじさんはぼそりと言った。

「ありがとうございます。お花はどこで買えますか？」

私は言った。

おじさんは近所のお花やさんを教えてくれたので、走って買いに行った。

どうせ花瓶もないけれど、風呂場《ふろば》にたらいがあったのでそれでいいや、と思い、抱えるほどたくさんの白い菊を持って帰ってきた。お線香はコンビニで買ってきた。おばさんの家の前から、青島が見えた。かすんでいたけれど、植物は明らかに椰子とか蘇鉄《そてつ》とか、そういう熱帯のものだった。

そして鬼の洗濯板と呼ばれる岩の断層がきれいに模様みたいに並んでいるのも見えた。岩でできた波頭のよう、そして神様がつくったレース模様のようだった。

たらいに白い菊を飾り、ソファのあったあたりに置いて、お線香をあげ、おそなえした名物ういろうののこり半分を食べながら、私はぼうっとしてしまった。

なんだか気がすんだし、鬼はふんだんにいるが、鬼以外なにもない。梱包材《こんぽうざい》を買ってきてていねいに梱包して発送したら終わってしまいそうだ。

案外やることがなく、拍子抜けした。あとは黒木さんという人にあいさつに行くくらいだ。

押し入れを開けてもみたが、なにも入ってない。服も全部で六枚しかなかった。しかもみんなぼろぼろで、靴下はゼロ、パンツが三枚。そして悲しいことに今年の冬服の準備が一切なかった。もう自分に今年の冬はないと悟って、みんな処分したのだと私は直感した。

そうだ、メモにあった庭の古井戸の小鬼を見なくては、と私は思い、窯の脇を通って、庭の奥に行ってみた。

この小さい窯であれだけの数を作るには、ほんとうに生涯をかけないといけなかったんだろうな、と私は思い、自分が直接に属している現代美術のギャラリーの会社ではむりかもしれないが、知り合いの民芸系のギャラリーでやってもらおう、と考えて、どこがいいかな、と思いながらぼんやりと奥へ歩いて行った。

畑の後ろには蘇鉄がたくさん植わっていて、とげとげして痛い中、庭のいちばん奥に分け入ると、なんだかぞっとするような古い井戸があった。すっかり隠されているが、見ているだけでじめじめして、恐ろしくて、目の前が暗くなり、頭が痛くなり、おなかも痛くなってきた。なんだろう、これは、と脂汗《あぶらあせ》をかきながら私は思った。そして、他の小鬼とは違う、恐ろしい形相の小鬼たちがそこにはいた。大きさももっと大きく、まるで魔方陣みたいに井戸を囲んでいた。ひとつは井戸を見つめ、あとはみな井戸に背を向けて、井戸を囲んでいた。

「なんだろう、これ。」

自分の声が震えているのがわかった。

ここは、なんだかまずい場所だ、そう思った。

おばさんはあれを封じるために、これらを作ったのだ、そう確信した。

それがおばさんの仕事だったのだ、生涯の。

それがたとえ妄想であったとしても、本気だったから、あの小さい窯で焼き続けたのだ。護《まも》りの精霊たちを。

それでもその暗い古井戸が怖くて、私はあとずさった。

「だれ？」

と声がした。甲高い奇妙な声だった。

ぎゃあ、とびっくりして振り返ると、畑にとても小さい、まさに小鬼のような太った女がいた。

「そちらこそ、どなたですか？　私はこの家の主《あるじ》の姪です。」

　私は言った。

「ああ、紗季さん。」

　その女はぽてぽてと歩いてきた。身長は小学生くらいしかなかった。左目があちこちを向くが、右目だけはじっと私を見ていた。

「ムメおばさんから聞いてました？」

「あの人、千里眼だからね。死んだ後の管理をまかされてたの、バイト代もくれようとしたけど、もらわなかったよ。あの人、立派だった。」

　彼女は言った。

　この人、人間じゃなくて実は小鬼が化身して歩いてきたんじゃないかな、あるいはおばさんが淋《さび》しくて友達がほしくなり、土を自分でこねて焼いて創ったんじゃ、民話の中にいるような気持ちをぬぐい去れずに私はあいまいに微笑《ほほえ》んだ。

「近所の人間だよ、裏の家の黒木です。」

　彼女は私の気持ちを察したように言った。

「ムメさんは、あたしがこんな体で産まれたのも、うちのおじいさんと、お父さんと、私の兄が死んだのもこの井戸のせいだからなんとかするって言って、鬼をつくり始めた。おかげで、お母さんと、妹と、弟は病気になったのに生きてるの。だから、今も管理を手伝っていて、この家が売れるときには井戸はこわさないようにって、書類もあずかっているし、不動産屋との契約書にもその条項を入れてもらった。もうね、ムメさんはここを売りに出す手はずも考えているし、鬼を残していたのは、あなたのお母さんにあやまりたい気持ちがあったから。ただそれだけで、もうみんな終えていったんだ。」

「お話は全部、よくわかりました。」

私は言った。

黒木さんの目の深く星のように強い輝きを見ていたら、おばさんがどんなに立派な人だったかめくるめく勢いでそのエッセンスが押し寄せてきて、関係性も意図も全てがわかったのだ。

「だれにも認められない仕事だけど、人として大きな仕事だったんだよ。スティーブ・ジョブズと同じくらい偉大な仕事だよ。」

黒木さんは言った。

私はうなずいて、ちょっと泣いてしまった。

そして照れ隠しに言った。

「もしかしたら、黒木さんはAppleのコンピュータを使ってるんですね。」

「そう。あたしはムメさんとジョブズを尊敬してる。いつもYouTubeでスピーチを繰り返し見てるの。ムメさんもAppleを使っていたし、最後には愛用のMacを私にくれた。最高の形見分けだよ。」

黒木さんは自慢げにそう言った。

この変な話をうまく母に伝えられるかどうか自信がなかったけれど、とにかくよかったと思った。

おばさんは誤解されていたし、だれとも交わらないと決心したのは、きょうだいや親族よりも今いっしょに過ごしている友達を救うためだったのだ。

なりゆきで黒木さんといっしょに草取りをしていたらもう夕方近かった。おばさんの思い出を話すこともなく黙って草取りをする黒木さんのむだのない動き、そして手先の器用さにほれぼれした。

そして最後に、私が来る途中で買ってきたういろうの残りをいっしょに食べた。生ものなのですぐ食べた方がいいかなと思って、さそってみた。もってきたお菓子は包みのまま渡した。黒木さんはしっかり両手でうけとってくれた。

このへんのういろうは、名古屋よりも少しゆるくて、量もふんだんで、甘さもちょうどよく、パッケージのデザインも横尾忠則《ただのり》が描いたかと思うくらい色彩がすばらしくて、私はすっかり気にいってしまった。

ういろうと熱いお茶を小さな黒木さんと並んでアトリエで食べていたら、おばさんの幸せだった時間が伝わってくるようだった。あんなにみすぼらしいというわさがたっていたのに、実はこんなにも豊かだったなんて。そして一見田舎の障害を持った小さなおばさんにしか見えない黒木さんがこんなに聡明《そうめい》で畑仕事も有能で輝かしい人物だなんて。

「明日、晴れたら青島に行ってきなよ。」

黒木さんはまたその甲高い声で唐突に言った。

「え、でもあの橋を渡ればいいんですよね？」

私は言った。

「そうそう、ムメさんはあそこが好きだった。いつもあそこに行っては、蘇鉄には必ず小鬼がいるって言ってた。だからあの人は鬼を創ってたんだと思う。あの人には見えていたんだ。明日も草取りや水やりに来るから、会おう。」

そう言って、黒木さんは帰っていった。

いちおうひととおり掃除をして、処分していいものをまとめ、私は形見にエドワード・ゴーリーの本と例のメモをいただくことにして、明日は鬼の人形の梱包だ、と梱包材を買いに宮崎市内までレンタカーを走らせた。

そしてガイドブックの言う通りにおぐらでチキン南蛮を思い切り食べて、フルーツ大野でマンゴーのかき氷みたいなすごいものを食べて、おなかいっぱいになった。

宮崎の名産を満喫して観光客気分で満たされたはじめての夜道は、切ない幸せの匂いがした。あまり人がたくさんいなくて、飲み屋街があって、ネオンがあって、真っ暗なアーケードがあって、涼しい夜風の中で、私はだれでもない自分となって歩いていた。私はおばさんであり、おばさんの目が少しだけ私の目に入っている、そんな気がした。

おばさんはこんなふうに街を散策したりしなかっただろうけれど、宮崎が私におばさんの目を貸してくれている、そんな気がした。おばさんはここの空や木や草や海に……そして蘇鉄の小鬼にきっと愛されていたのだ。

コンビニでビールとかおつまみとかひいたコーヒー豆を買って、夜道を戻ってきた。けっこうな距離だったが、はじめての土地で高揚していたので眠くならなかった。うっそうとした緑や暗い海に魅力を感じながら、おばさんが移住してきた気持ちが少しわかる気がした。この新鮮な空気、静けさ。

まだお湯が出たのでシャワーを浴びて、ビールを一本飲んだらものすごく眠くなったので、持ってきた寝袋に入って私はすぐにぐっすりと寝た。来月あたりもまた来なくてはと思っていたが、黒木さんにいくらかお金を渡せば、まだまだいろんなことをお願いできそうだったし、そのほうがいいと思った。受けとってくれればだが、渡してみよう、と思った。この家ももう売りに出されようとしていることもわかった。下手に不動産屋さんに連絡をするよりも、黒木さんと連絡を取り合った方がよさそうだ。そんなことを考えながら。

私は幽霊屋敷研究会にちょっとだけいたくせに幽霊とかそういうものは基本的には一切信じないのだが、夜中に渦が迫ってくる夢を見て、はっとして目が覚めた。渦がぐわっと目の前にせまってきて、飲み込まれそうになる、そんな夢だった。

真っ暗な家のなかで、なぜか濁流が流れるようなごうごういう音が聞こえる気がした。

闇《やみ》が明らかに濃くなっているのは、あの庭の奥のほうだった。

そして鬼たちがぼうっと光っているように見えた。実際に街灯の明かりを反射して少し光っていたのかもしれない。

そちらに目をやると、渦がごうごう襲ってくるような気がして、私は目をそらした。

「こりゃあ、なんだかわからないけど、たいへんなものだ。」

私は言った。

きっといつかおばさんもそんなふうにつぶやいたのだろう。そのあとで、おばさんは思ったのだろう。

ここに住んだのもなにかの縁だ、私は、有名にもならなかった、人にも好かれなかった、家族ともどうしてもなじむことはできなかった。優しい言葉を人にかけることも、多くの人と会ったり食事したりすることもできなかった。体も強くないから、同じ時代にNYにいたのにオノ・ヨーコや草間彌生《やよい》にもなれなかった。すごい作品も創らず、ただ生きて死んでいく。でも、だれも見ていなくても、鬼が見ているし、木も空も、神様も、私を見ているのだ。なにかとよくしてくれた黒木さんのためにも、できることを静かにやってから死のう。そのために残った時間を全部使おう。何かもっと大きなものが、偉大なものが、きっと私の命を見ていてくれるはずだ。

おばさん……とつぶやいたら、優しい気持ちになって、闇の中の渦に背を向けて、私は目を閉じた。わざわざ見なくてもいいや、そう思った。

知っている、そうではないものがとても多いことを。

世の中は毛布や愛や笑顔や文えや美しい景色や透明な夜露や甘い色の花びらだけでできているのではない。

あの渦のようなものはあらゆるところにいろんな形で混じり、まみれている。

でも、おばさんがいたら、この夜もこわくない。

だって、おばさんは、鬼といっしょに自分も鬼になって、そのふたつの世界を遠く超えていったのだから。あくまで善なるものであろうとして。

大学のとき、幽霊屋敷を科学する研究会に当時のボーイフレンドが入っていた。彼は作家志望で、なんでもかんでもやってみたいタイプだった。

合宿に行く人数が足りないし、紗季は学祭でやる幽霊屋敷カフェ（それで活動費を稼いでいたらしい）に展示するこわい絵を描けるから適役だ、まさに幽霊部員になってくれと頼まれて、笑いながら合宿に参加した。

部員は変な人ばかりだった。マンガおたくや幽霊がみえるという人や自称サイキックやほとんど家にひきこもって世界の不思議なことを調べている人や……普段の私が決していっしょに旅などしたくないと思うような人たちだった。

社交的でも面白くもなく、すぐとげのある言葉を口にする、よくわからない人たち。かび臭い元医院の近所に住む大家さんにおおまじめに申請して、私たちは寝袋を持って、真っ暗な元受付に拠点をかまえ、二階建ての医院のあちこちに録音機材やカメラを設置した。

幽霊を信じない私は、なんてばかばかしい、とずっと思っていたが、ボーイフレンドをはじめみんながまじめに動いていたので、現実的に手伝いをした。買い出しや、セッティングを手伝い、普通に会話をして、いる場所だけ掃除をした。

持ち込んだ電気ポットでお湯をわかし、いろいろなインスタント食品をみんなで試したり、ひそひそ声でおかしを食べたり、ようするに大人になりきれない大人の肝試しなのね、と思った。

結局あいまいに光る玉みたいなものが、二階の奥の部屋にセットしたヴィデオにちょっと映っただけで、その合宿は終わった。あっけなく朝が来たときには半数がうたた寝、起きている人もぼんやりして、荷物をまとめて始発で帰っただけだった。気持ちが上がったり下がったり大変だったわりには、たいしたことは起きなかった。朝日の中でみんなのためにコーヒーをわかしながら、案外楽しかったな、と腫《は》れた目で私は思った。

その貴重なシーンを壁のスクリーンに大映しにして暗がりでエンドレスで上映し、私がおどろおどろしい病院の絵を蛍光ペンキで描いて、ビーカーやフラスコで飲み物を出す「人魂《ひとだま》カフェ」をやって、学祭で部費を稼いだのもいい思い出だった。

私は幽霊に関していいかげんだったから、暗がりで彼とキスのひとつもできるかしらと思って参加していたけれど、みんな大まじめだったので、そんなこと考えるのも悪いくらいだった。夜中の三時くらいにヴィデオカメラのチェックをしてモニターに件《くだん》の光の玉が映ったのがとにかくその合宿のピークだった。

みなぞうっとして、黙り込んで、でももっとなにかを見つけようと勇気を奮い立たせ、まるでスポーツの試合に臨む人々のような、それぞれの妙にいい顔がランタンに照らされていた。

あまりにも歴史ある暗い建物の中にいたら、だんだんと闇の重さが真綿みたいに私たち全員を締めつけ、私たちは男女を超えてひとつの部屋に集まって手をつないでいた。

見回りに行くときは互いを思い合って腕を組んで行動した。もしほんとうになにかあればぎゃあぎゃあ騒いで散り散りになるだろうからそれはたいした結束ではなかったのかもしれない。しかし、人の頼もしさを、人というもののわけへだてなさ、平等さを、私たちは闇の中でひしひしと感じていた。ふだんの生活の中では争ったりねたんだりしあっているかもしれない、寄せ集めのスリルが好きなシャイな学生たち。もしかしたら、自分たちよりも大きなものがあるのかもしれない。そう思ったときだけからかいの気持ちも世界観の違いもなく、ただ人類としてひとつであったあのことわかった懐《なつ》かしい夜を私は思いだしていた。

ボーイフレンドとは別れ、彼らの行方も知らない。

ただ、あの夜にみなが闇や闇にひそむかもしれないある可能性の前で、全く違いのないひとつの「人類」という固まりになった強い感触だけが、私に残っていた。

なんとなく目が覚め、手元のゴーリーの本を開いた。

一ヶ所だけ、印がついているところがあった。小さな星印だった。

「わたしたちは皆、何らかの方法で現実を避けようとしながら人生を送っているんですから。わたしはつねに、かなり強い非現実の感覚を抱きつづけてきました。他の人たちの存在の仕方は自分とは違うらしい、とね。他の人々の人生は意味で満ち満ちている、といつも感じるんです。誰かを道で見かけると、彼らの人生はとてもリアルに違いない、と思ってしまう。もちろん、実際はそうでないことも分かってはいますが。」

おばさんの目がまた私に重なった。

ひとりぼっちの家で、迫りくる渦を感じながらひとり闘いの生涯を送っていたおばさん、今、ここで私が気づいたからもうおばさんもひとりではない、と思った。時差はあるけど、ひとりではないんだよ、と。

伝わるだろうか、闇の中を超えてこの小さな光は。

伝わらなくてもおばさんは気にしないだろう。私も気にしない。

おばさんがある日この部分に星印をつけたその気持ちは、子守唄《こもりうた》みたいに私をなぐさめたからだ。

私は母を愛しているが、母のようなタイプに、この小さすぎる声の交流は決してわからないだろう。小さすぎるがクリアでまるで杖《つえ》みたいに人生を支える交流。暗闇や渦からたったひとつ私を救うこの力。

いつのまにか井戸の渦も気にならなくなり、私はゴーリーの本の表紙に手を置いたまま、ぐっすりと眠った。

朝はあの合宿の日と同じようにあっさりとやってきた。

光がいっぱいの家の中は秋なのに暑くて、私は寝袋から半分くらい出ていた。

光が全てを変えてしまった。

豊潤な闇の気配はなくなり、ありふれた、少しみすぼらしい、淋しい老年のひとりぐらしの家が照らし出された。しかしそこここにいる鬼たちがそうではない、ここにいる、と主張しているようで、私はおばさんのいろんな気持ちを抱くように生きていこうとあらためて思いながらコーヒーを入れた。

この行き来の中に、人類がありアートがあることを、忘れないでいたいと思った。ただ忘れたかった幽霊屋敷研究会の過去にもすばらしい意味があったことさえわかった。

人類をずっと動かしてきた夜と朝の魔法と仕組みを生々しく感じた。あの体験とこの体験が点ではなく線になったことが、私のこれからの人生に大きな意味を与えた、そう思った。

おばさんは大きな贈り物をくれたのだ。

つっかけとさいふと携帯だけ持って、私は青島への長い橋を渡って行った。

青島が近づいてくるにつれて、この島はまるで緑の宝石みたいだという気持ちがますます強くなった。

鬼の洗濯板に守られて、こんもりと存在する小さく神聖な楽園。橋から眺める青島の景色は特別なものだった。果てしない海に混じって幾重にも重なった岩とその向こうのあふれそうな緑。

隆起した水成岩が波に洗われてこんな奇岩だらけの不思議な景色になったと看板には書いてあり、ふつうの椰子と思っていたのはビロウ樹という全く知らない種類の椰子だった。扇のようにふさふさと葉を広げている。この木は古代ではどんな木よりも神聖とされていたらしく、今でも皇室の祭祀《さいし》に使われるのだそうだ。そんな木がこの小さな島に五千本もある。他の南国の木々といっしょにこれでもかというくらい豊かに茂ったその葉に囲まれた神社の空気はしっとりしていて、沖縄の御嶽《うたき》を思わせる雰囲気だった。

赤い鳥居だけが不思議な存在感を放っていた。古代の人もそこを神聖な場所としたのだろうということがひしひしとわかる場所だった。岸辺からこんな不思議な景色を見たら、あの島にはなにかが宿っていると思っても当然だ。

おばさんはここを見つけ、青島に毎朝散歩して、きっと島に渡る橋の手前の売店でジュースを買って（私もマンゴーかき氷を買って、食べながらのんびりと橋を渡った)、毎回神聖な気持ちに満たされてお参りをしたのだろうと思った。

熱帯の巨大な木々に圧倒されそうな、小さく素朴なお宮に向かって手を合わせ、私はきっとおばさんと同じようなことを祈った。愛する人がみんなできるかぎり幸せに天寿を全うできますように。この人生でしたいことができれば成し遂げられますように。


なんていいところだろう、何回も深呼吸をしながら私は橋を戻って行った。

ここを見つけて越してきたおばさんの気持ちが、今では完璧《かんぺき》に理解できた。それだけでも来てよかったと私は思った。


戻ると黒木さんが草むしりと水やりをしていた。

おはようございます、と言うと、

「青島見てきた?」と言って、おむすびを二個くれた。どうやったらこんなきれいな丸ができるんだというくらいきっちりと丸いそのおむすびは塩がきつくてかなりおいしく、私はすぐに食べてしまった。すでに日焼けして肌がいい色になってきていた。

「鬼の梱包手伝うよ。発送もなんだったら、してやるよ。」

縁側で黒木さんは言った。

「お礼をお支払いしたいんですけど、いろんなことの。」

私は言った。

「やめてよ、そんなこと。ばちがあたる。着払いで送るからさ。それでいい。」

黒木さんはうむを言わさない調子で言った。

「あの、じゃあ、よかったら好きな鬼をお持ちください。私が言うようなことかどうかわからないけど、おばさんきっと喜ぶと思うので。」

私は言った。

黒木さんははじめて笑顔になって言った。はじめは怒っているのかと勘違いするくらい不思議な笑顔だったが、細く輝く目が子どものようで妙に美しかった。

「いらないよ。」

そして続けた。

「だって、うちにはもう百個くらいあるからさ。」

「そのこと、予想すべきでしたね。」

私も笑った。

小鬼みたいな女と知らない土地で笑い合う不思議な瞬間、これはおばさんからの、そして人生からのプレゼントだった。

「じゃあ、もしおばさんの個展をすることになったら、航空券代とホテル代を含めてご招待します。そして売れたお金からギャラリー代だけちゃんと引きますので、受けとってください。祠を作って余ったら、そのお金はそのままお納めください。これはおばさんの遺言なので、そうさせてもらいます。」

私は言った。

「うん、わかったけど。ムメさんが望んでいたなら、そうして、立派な祠にするから。お金は残さないよ。」

黒木さんは言った。そして続けた。

「あたしみたいな見た目のものが、東京のギャラリーに行くなんて、恥ずかしくてとても無理だよ。」

「私がずっとエスコートしますよ。ごはんもいっしょに食べますから、空港までお迎えに行きますし。なんでしたら、Appleストアにもいっしょに行きましょう。」

私は言った。

「変わった子だね。」

黒木さんはにこりともせずに言ったけれど、少し嬉《うれ》しそうだった。

畑の草はみな水滴を抱き、光の中で古井戸のあたりはただの暗い古井戸に見えた。

でもまた夜が来ると、そこにあるなにかは命を広げようとして蠢《うごめ》きはじめる。それ自体は善でも悪でもない、よくわからない、ただの命、力の種類。それを他の命がまとうとき、いきなり意味が生まれる。そんなことがほんとうにあるのかどうかはどうでもよかった。そこで生まれた人間の複雑な心の模様が私を引きつけた。まるでレース模様のようなあの岩たちができるときのように、偶然が混じり合ってものすごく大きな模様ができる。それを見ていたかった。

鬼たちが東京で窮屈な思いをしないといいけど、と思いながら、私は梱包材を取りに行くべく立ち上がった。あれだけの鬼を包んで段ボールに入れるのは時間がかかる。長い午後になりそうだった。

それでも、このいろいろなものが渦巻いている世界の中で、ありとあらゆるものがつながって波と空と風のように押し合い、影響し合い、吸い取り合い、絡《から》み合い、ずっと動き続けているダイナミックな流れの中で、人間にできることはただただ小さな手を動かして作業することだけなのだ。

私はそれを知っていて、となりの黒木さんもそれを知っている。

そんなふたりが鬼たちを扱うなら、おばさんも喜ぶだろう、そう思った。

癒《いや》しの豆スープ

「咲ちゃん、あんたは作れないの？　あんなにそばにいたのに。散歩してても淋《さび》しくってものたりなくってしょうがないよ。」

祖父母が亡《な》くなってから、すれ違う近所の人たちに何回それを言われたことか。

「癒《いや》していたのは、きっと祖父母の人柄のほうで、スープ自体じゃないんだと思うんですよ。」

私はそう答える。

するとみんな「それもそうだよね」と言いながらも深いところでは「な〜んだ、あんたはやっぱりなにもくれる気がないのか」というちょっと失望した顔をして帰っていく。

子どもが新しく買ったおもちゃをすぐに壊してしまってがっかりしていらいらしているときの顔に似ている。

どんなに大人になっても、おばあさんやおじいさんになっても、そんなときはその人の中の子どもが顔を見せる。

これほど多くの人が、週末に朝の散歩をしているのかと驚くことがよくあった。のんびり歩いてくる人、家族といっしょの人、ひとりで瞑想《めいそう》してるようにただ歩く人、ジョギングしている人。様々だけれど、とにかく晴れていれば、いや、たとえ雨でも家を出てなんとなく目標を決めて歩く人たちの群れ。

なんのために？

足の力を保つために、気分をよくするために、血行を整えるために。気分をよくして今日一日をなんとかよきものにするために。それぞれに問えば理由はあるのだろうけれど、深いところでは理由のない行動だと思う。

人間ってなんだろう、体があるってなんだろう。

朝起きたあと、時間があればなんとなく歩いてみたいあの気持ちは体から出てくるのか、心からなのか。ふたつがからまって生まれるわかちがたい衝動からなのか。

そしてその歩きの途中に、ちょうどよい憩《いこ》いの場として町の人たちに設定された我が家。

なによ、みんなあてにしちゃって、と思うと同時に、自分の器の小ささを思う。

あんなにもただ欲しがる人たちに囲まれて、いやな顔ひとつせずに無料でスープを出し続けた祖父母。

先に祖母が亡くなり、祖父はその悲しみをぐっと抱えしょげて小さくなって、三ヶ月後にそっと亡くなった。

こわいくらいなにも人に押しつけないふたりだった。そしてなにも人に押しつけないところだけがふたりの共通項だった。

近所の人たちの生々しい反応にうんざりしてはいたけれど、実を言うと私も祖父母の豆スープが恋しくなっていた。

私がこの家にやってきたとき、うちはすでに「豆スープが無料で飲める立寄どころ」だった。

売っていたわけではないから「豆スープ屋」でさえない。

祖父母は元々たばこ屋を営んでいた。

駅前からの商店街が終わって少し歩いた狭い道に面したところに、店舗だった部分がある。自宅の玄関から見るとそこは裏にあたる。たばこを売るスタンドと、その後ろのストック場と、数人が座れるようになっているスペース。たったそれだけの小さい場所だった。

父からの仕送りが充分になり、ふたりとも年金をもらうようになり、祖父母は豆スープを大量に作るようになった。はじめはたばこ屋と同時進行だったが、やがて週末の豆スープが忙しくなってたばこ屋はたたんだ。

月曜日に材料を買ってきて、仕込みをして、火曜日から金曜日まで煮込み続けて、土日に配るというペースも自然に決まったそうだ。

近所の毎日寄っていくおばさんが胃をわずらったのがきっかけだったと祖母は言っていた。緑茶を出すと胃に悪いかもしれないから我が家特製の豆スープを出してあげよう、ということから始まったと。

そのおばさんはスープをおいしいと言って、毎週飲みに来て、胃を半分以上切ったのにすっかり元気になってしまった。

スープだけの力ではないとは思う。

おばさんの家からうちまで歩いて十分、ちょうどいいリハビリ運動のあとに、栄養のあるスープを飲んで祖父母とちょっとした温かいおしゃべりをして帰っていくと全部で三十分くらい。

その全部が、週末を楽しみに過ごすことや、豆スープに特に期待していなかったこととうまく相まって、彼女に奇跡を起こしたのだと思う。

おばさんの顔色はみるみるよくなり、おばさんの話す内容も明るくなっていったそうだ。

おばさんがあまりにも変わったので、おばさんの家族が、その知り合いが、しょっちゅう寄ってスープを飲んでいくようになった。

じっくり座れないというのが、またよかったのだと思う。

丸いすか、塀にもたれての立ち飲みか、迷惑にならない程度に道に立って飲むことしかできないから長くはいられない。おのずとそこでは長話やぐちを控える雰囲気になった。時間があるときボランティアで手伝ってくれる人たちもいたので、教会で無料の食事を配っているときの健全で静かな雰囲気がいちばん似ていたかもしれない。

祖父母がそんなに話し上手ではなくわりと無口だったので、おしゃべりしようと意気込んで来た人たちも肩すかしみたいな感じがあっただろう。

紙コップではお金がかかりすぎるし買い出しが大変だしゴミも多すぎると祖父が言い、近所の公園でやっていた陶器市でひとつ百円で買った湯のみに入れて豆スープは供されていた。あまりにも多いその洗い物で祖母の手ががさがさになっていたので、越してきたときに母が食洗機を寄付した。

世間の思い込みと違って意外にも「なんでも心をこめて手でやります」みたいなタ

イプではなかった祖母は、母のそんな思いやりをとても喜んだ。

「みんなが私をすごく昔気質《かたぎ》のまじめな人だと思うんだけど、こういう電化製品は大歓迎よ、ありがとうね、すごく助かった。こんなこと思いついてくれる人他にいないよ。智子《ともこ》さんはほんとうの娘だよ。」

祖母が食洗機を抱きしめんばかりにしながらそう言っているあいだ、母が恥ずかしそうにしていた少女みたいな顔をよく覚えている。

以来、食洗機ががんがん回る音が我が家の週末の午前中のBGMになっていた。

私は食洗機の水音を好きになった。水が焼き物の間をぐるぐる回る生き生きとした音。乾燥機をかけている場合ではないから洗い上がったらそれをどんどん拭《ふ》くのは私の仕事だったが、その作業も嫌いではなかった。ほかほかの食器をひたすら拭いているとなぜか幸せな気持ちになってくる。

土日ともにたいてい午前中で豆スープは品切れ、それでおしまいだった。

残念がる人には「ここは店じゃないからなくなったらおしまいなんでね、また明日（もしくは来週）来てね」と祖母が言い、おかわりを欲する人にはその状況（家は遠いのか、また来られる人なのか、どうしてそんなにひもじいのか）をたずねて、もう一杯出してあげることもあった。ホームレスの人には必ずおかわりを出していた。

そんな全《すべ》てを眺めているうちに私は人間が愛《いと》おしくなり、そしてこわくなった。豆スープがほしい、おいしい、嬉《うれ》しい、ありがとう、よかったらこれ受けとって、そこまではみんな思い至る。

でも、祖母の手がまるでぼろぞうきんみたいにがさがさになって、血が出てばんそうこうをしているのに、それには気づかない。鍋《なべ》を運んでくる祖父が足を引きずっていても、めったに手伝いはしない。それをなんとも思わないでいられる、あるいは目に入らない、あるいは見てみぬ振りをする、人間の鈍感さ。あるいはずるさ。ねえ、もうなくなるの、でも私まではもらえるよね？　というときにだれもが見せる同じ表情。

欲しい、というコンタクトレンズをはめたように、他のことは見えなくなってしまい、少しでも多くもらいたいと思う。スープくらいのことならこういう面を見せてもいいだろう、という感覚。善良な人々に潜む小さな悪魔がこわかった。極小だからこそ、決して消えることはない。

それなのになぜだろう、豆スープを手に持ってほっこりとした笑顔になる人たちを見ると、涙が出そうになってしまう。それだからやめられない、人間を、豆スープを。そう思った。自分の中にも極小の悪魔と同時に潜む、そのくめどもつきない愛のかけらみたいなものを、どちらも小さいその消えないものを、味わいたいような気持ちにいつしかなっていた。

両親は私が十五歳のときに離婚し、私は母といっしょにその父方の祖父母の家に引っ越し、そのまま祖父母と暮らし続けた。

私は短大を卒業してから、週に四回民営の図書館でアルバイトをしながら、土日に豆スープの手伝いをし続けた。

そして母と共に祖父母を順番に看取《みと》った。

離婚したあとの出来事としてはとても珍しいことだと思う。

母の両親はもう亡くなっていて私たちは行くところがなかったし、母子家庭となった私たちは父からの慰謝料や養育費をできれば貯金したかった。そして父と暮らしていた六本木のマンションはふたりで暮らし続けるには家賃も生活費も高すぎ、なによりも淋しすぎた。

父方の祖父母は「いいからここで暮らしなさい、私たちは孫と暮らしたいし、智子さんも好きだよ。出ていきたくなるまでいくらでもいて」と母に言い続け、母は本気で受け止め、四人の生活になじみ、それを全うした。

店から茶の間、玄関とひとつに続いてほとんど仕切りのないその家のつくりだと、どこに出かけて帰ってきても、祖父母の寝ている部屋のすぐとなりを通り、頭の近くにある階段を音を立てて上ることを意味していた。だから夜遅いときなど申し訳なかったけれど、祖父母は私たちを負担に思う態度を見せたことは一度もなかった。

私と母には二階の六畳一間だけ。

でも窓からは祖母がいつも手入れしていた庭のすばらしい景色が見えた。

祖父母の寝ている四畳半は縁側がありほとんど庭に続いているようで、屋外で寝ているようなすてきな風情《ふぜい》だった。だから狭さに耐えられたのだろうか。母がいくら陽当たりのいい二階に移ってと言っても、親が遺《のこ》したこのいちょうの木が大好きで、その下で寝ているようで幸せだからここがいい、と祖母は動こうとしなかった。

朝起きて下に降りていくと、祖母はすでに立ち働いていた。いつも巨大な寸胴鍋《ずんどうなべ》で豆スープを煮ながら、おいしいごはんを炊《た》いていた。母は店だった場所のそうじをしている。体を動かしているうちに目が覚めるんだ、と言って楽しそうだった。祖父はふとんを干して、洗濯を手伝ったり庭木の手入れをしていた。みんなやることがあるから、私も朝ご飯のしたくを手伝ったり、自転車で買い物に行ったりした。

全員がうまくかみ合いながら動いている流れ作業のような雰囲気は爽快《そうかい》で、まるでひとつの船に乗っているようだった。船の上にいたらこんなふうに手分けせざるをえないだろう、というような毎日。

そんなことばかりで忙しい私にはほとんど友達ができなかったけれど、女の親友がひとりと、ずっとつきあっているボーイフレンドがいた。高校生のときからの知り合いだから、つきあいはじめてなんともう十年以上になる。多分このままいけば結婚するだろうと思う。

なんていう狭い人生だ！　とよく同級生たちに言われたものだが、私は反動だと答える。華やかに働いていた忙しい父がほとんど帰ってこなかったもっと母子家庭みたいな暗くうすら寒く広すぎたマンションでの幼少時代には、人数をこなす表面的な社交だけがあり、忙しすぎるそこには私の心を震わせるものがなにもなかったのだ。

「ごはんよそってくれる？　咲ちゃん。」

祖母の明るく響く声を思い出すと、まだ涙が出る。

「ふんわりとよそってあげてね。」

といつも祖母は言った。

てきとうによそると祖父の手がお茶碗《ちゃわん》を持ったとき一瞬止まることに気づいたのは、同居してから半年のことだった。気づかれないくらい短い時間だった。祖父は生涯そのことを口にしなかったが、私はそれを見逃さなかった。見逃さず、ただ祖父の手が止まらないようなよそり方をするようになっただけだったが、いったいあの人たちはなんだったのだろう？　と思う。いるだけで風情がある哲学者のような人たちだった。

「おじいちゃん、なんで手を止める？　変な匂《にお》いでもした？　盛りつけが汚かった？」

と何回か聞いてみたら、

「なんか手の方が止まった。でもごはんはいつも通りおいしいよ。なんでもない。」

というだけだった。きっとほんとうにそうだったのだろう。いやみを言えるタイプでは決してなかった。

浅漬けとお味噌汁《みそしる》と卵焼きだけの朝ご飯。たまにきっちりバターを塗ったトーストと果物とヨーグルトのときもあった。ＴＶを見ながら静かに食べる。そしてちょっと会話をする。

「お義母《かあ》さん、セーターの穴、私直しておこうか？」

例えば母がそう言う。

「編み物とくいだねえ。」

祖母が答える。

「てきとうにやってるからね。」

母は笑う。

「このあいだみたいに、パッチワークみたいなカラフルな感じにしてよ。」

祖母が笑う。

「ヒッピーみたいになっちゃうけどいい？」

母が答える。

「そこがいいんだよ。若い人と住んでる新鮮さがあって。」

祖母が言う。

そんなときにはいつも電気ポットが静かにお湯をわかし、使い込まれた清潔な急須《きゅうす》の中にはつやつやの緑茶が入っていた。人の営みっていいなあ、と私はいつでも思っていた。どんなつまんないことが学校や仕事先であっても、いくらあせらなくてはいけないような気分にさせられても、そこでは時の流れが狂うことはなく惑うことはなかった。

「おばあちゃん、夜は肉食べたい。」

私が言う。

「牛かね、おじいちゃんがもう噛《か》み切れないよ。」

祖母が言う。

「私が柔らかく料理する。」

私が言う。

「バルサミコ酢ってのを使ってみてよ。」

祖父は言う。

「このあいだ向かいの酒屋からいただいて、気になってしかたない。あれって、醬油《しょうゆ》になんかを入れた味と全く同じになる気がしないか？」

「わかる気がする。醬油に米酢じゃない？」

母が言う。

「じゃあ、高いかいはあんまりないね。いただきものなのになんだけれど。」

祖母が笑う。

そんな様子を庭木のところから大きく優しいだれかが見ているようにいつも思えた。さらさら風が吹いて、奇跡のような形をしたいちょうの葉が舞い降りてくる。

静かなその両親に反発し派手好きになった一人っ子の父にとって、あまりにも地味すぎたその家庭は、私と母にとっては嵐《あらし》のあとにたどり着いた憩いの楽園だった。

父の人づきあいは、お金をたくさん出して外食できる人ばかりを相手にする客商売から派生しているものだから、しかも飲食業だから、夏と冬には生もののお中元やお歳暮がたくさん届いた。

それを消費するのが大変なばかりか、お返しにはもっと気の利《き》いたものを相手の予定を見ながら失礼にならないタイミングで送らなくてはいけなかった。

今でも夏と冬に母がPCの前にはりついて必死でお中元やお歳暮を送っている姿を思いだすと、胸が痛む。つらい気持ちがよみがえり息苦しくなる。

私が少し大きくなってからはいっしょにデパートの催事場で注文して帰りにおいしいものを食べたりして少しは楽しむようになったけれど、私が幼いころにひとりそれに対処する母の背中は、とても孤独で厳しい作業をえんえんしているように見えた。

血だらけになって生牡蠣《がき》の殻を剝《む》いたり、生きたエビと格闘したりもしていた。信じられない量の里芋を剝いていたこともあった。またそういうものがしょっちゅう送られてくるのだった。贅沢《ぜいたく》だしありがたいことだが時期が同じなのでたいへんだったのは確かなことだ。

「いっぺんに食べられないので春と秋にも分散してくれませんか？」とも言えないし、

たいてい父が留守な時間帯に日持ちのしないものが届くから、母がなんとか調理して祖父母のところに持っていきみんなでがんばって食べるか、あわてて父の店に持ち込むしかなかった。予定と違うものが店にとっては少量の単位届いて使い道に困ることを、父はあまり喜ばなかった。それでもそれを送ってくれた人にはにこにこしながらお礼の電話をしなくてはいけないと、父は面倒くさそうにした。

ホームパーティでだれかを招待するにも、どんな人にも恥ずかしくないように家具もインテリアも勉強したり吟味し直さなくてはいけなかったし、外での食事なら母が相手に合う店をしっかり選ばなくてはいけなかったし、私も大嫌いなきちんとした服や靴でのぞまなくてはいけなかった。

それらの人づきあいから解放されて、どんなに気持ちが明るくなったか。

もう、気に入ったぼろぼろのトレーナーを捨てなくていい。ナプキンがあるちゃんとした店で、夜遅くて眠いのにがんばってあいづちをうたなくてもいい。

もちろん中にはすばらしく大好きな人たちもいた。懐《なつ》かしい場面や最高の料理の思い出もある。それは私の将来に必ず役立つと両親は言うし、私もそう思っている。

でも、幼い子どもには荷が重かった。自分の無作法が父の仕事に直接マイナスになるなんて。

それに引き換え祖父母の暮らしはエキサイティングな仕掛けも特別な食べ物もほとんどなく、毎日が一見同じで地味だったけれど、常に揺れ動く美しい景色の海に潜っているようだった。あの期間にお寺で修行をしたような気持ちを私は抱いている。今も祖父母のたたずまいの深みの秘密には全くせまれないでいる。

後々、祖父母の晩年には父もしょっちゅう顔を出すようになって、私たちの関係もよりいっそう和やかになり、家族の歴史は穏やかなものに塗り替えられた。

しかし両親の離婚の時期にあったもめごとは思春期の私にとってはやはり重いものだったので、祖父母の家に住み始めた頃、私はすっかり食が細くなっていた。イタリア料理のシェフだった父の作った料理を食べられなくなるくらいなら、父が私たちを捨てるならもう食べない、というような気持ちだったのだと思う。

父の銀座の店はオーナーの趣味でしゃれた内装だった上、ひとりやカップルで来やすいようにカウンター席が多く、ビルの四階にあったので、お忍びでくる派手な人々に好かれた。そして父はその中のひとりと恋をしたらしかった。

思春期の私は「自分は父に世界でいちばん愛されている」という堅い幻を打ち砕かれた。

私があまり食べなかったので困った祖父母は私に「近所の人たちに出している豆スープの上澄みだけでも飲みなさい」と毎日出してくれた。

スープはいつでもそんなに特別なものではなかった。

なんでこれをみんな飲みに来るんだろう？　と私は思っていた。

祖父が自転車でオオゼキに買いに行った鶏肉《とりにく》とレンズ豆とじゃがいもとにんじんとトマトとにんにくを基本にして季節の旬《しゅん》の野菜が入る。材料を軽く炒《いた》めてから水を入れ、アクをとりながら祖母が延々煮るだけだ。

はじめは味がしなかった。なんだか薄くて重い、あいまいな飲み物だなと思った。

ただ義務的にぐいぐいと飲んでいただけだった。

しかし、ある日突然、舌が反応した。なんておいしいんだろう、これ、そう思ったのだ。一度味がわかったら、決して飽きることがない絶妙な味加減そして塩加減だった。

そう思ったとき、世界に色が戻ってきた。

窓の外に見える木の枝や葉の緑が信じられないほど生き生きして見えたし、家の床もきらきらして見えた。なんだ、別に私自身にはなにも起きてないじゃないか、むしろたいへんだったのはお母さんだよな、そう思えるくらいの余裕が戻ってきた。

「あの小さい家に四人で住んでるの？」

と学校の友達にいつも驚かれた。

私は全然気にならなかった。もともとが貧乏性なのか、マンションの廊下は広すぎて夜中にだれかいそうでこわかったので、あまりにも温かく、夜ははっきりと闇《やみ》、朝は朝の光という祖父母の家は安心できた。

どこがどう整っているわけではないのに、祖母が掃除を終えると、家の中がきらきらして見えた。

雨の日でもなぜか光っていてわくわくするような……目に見えない生き生きとした小さな生き物が飛び回っているように思えた。

廊下の一部には穴があいていて祖父がてきとうに木をあてて修理したからいつもそこにけつまずいたし、古い窓ガラスが手に入らなくて割れた一枚だけ新しいガラスだから浮いて見えたり。それでも家に帰ってただいまと声を出すと、だれもいなくても家が迎えてくれているような、そんな家だった。

今でもたまに父の仕事について思うことがある。

住んでいる世界が違うんだ、ということを。

午後に起きて、お店に行って、仕込みをして、忙しく営業して……カウンターに来る華やかな人たちのその人たちならではの悩みを聞いたり、料理を出し終えたらおしゃべりをしたり、お店が終わったら部下とあるいはお客さんと一杯飲みに行くかなにか食べるか。そして夜明け近くにタクシーで帰ってくる。舌が鈍くなるからとあまりお酒を飲まなかったのも昔のことで、離婚する頃には少しずつお酒を飲むようになっていた。

そういうお店で日々高価なものに触れられる生活をしていると、奇妙なものでよほど志を高くもっていないと少しずつおかしくなっていくみたいだ。カウンターの上にあるのがほんとうの悩み、ほんとうの人生だと思い、疲れれば疲れるほどそれをもてあそぶようになる。

それでも私と母がお店に行ってカウンターに座っているあいだは、にこにこして自慢の料理をたくさん出し、他の常連さんに母と私を紹介するいいお父さんだった。父の作る料理はあの豆スープに匹敵するほどのおいしさを持っている。父にも祖父母の才能が受け継がれているのだろう。人をあたため、癒す料理。それは確かに銀座の人たちを救っているのだと思う。世界が違うだけで、場所が違うだけで、同じことなのだろう。

それが私に合わなかったことを、少しだけ淋しく思う。

あの水商売的な世界に、まだ私は子どものように反発しているのだろう。

「あなたにも才能があるんじゃないかなあ。うち来て豆スープ作って、やり方を教えてくれたらいいのに。そうしたらお客さんにお出しできるようになる。」

母は言った。

「そんなこと言っても、毎日近くで見てたのは智子だろう。俺は小さい頃しか飲んでないから、わかんなくなっちゃったんだよ。」

父は言った。

「材料は知ってるし、作り方の手順も見たけど、私じゃどうしてもあの味にならないのよね。がさつだからかなあ。下ごしらえをこわいくらいていねいにやってたから、お義父《とう》さんもお義母さんも。」

母は言った。

「うーん、そうか。そう言われると、なんか燃えるなあ、やってみるか。」

父は言った。

「でも、無料なんだろ？」

「お金とったら意味がないって、お義父さんもお義母さんも言ってたのよ。」

母は言った。

「俺、無料の料理を作ったことないからなあ。その気持ちが味に出そうだなあ。」

父は言った。いつも高そうな服を着て、高そうな金色の時計をしている。趣味が悪いけど、ほとんどお店にしかいないからそれしかお金の使い道がないし、接待を受けていろいろ食べにいくときにみすぼらしいかっこうではいけないのでそうしている、と言われるとその通りだ、これはこちら側のひがみだ、素直にそう思えるようになった。昔は成金みたいな父が恥ずかしくてならなかったのだ。

「作ってみたらいいのに。」

母は言った。

「無料の料理を作れたら、人として幅が出るよ。これから赤ちゃんが生まれるんでしょ。いい年して。」

「おまえもいい奴《やつ》見つけて、再婚しろ、スープ飲みに来る客と。」

父は言った。

「無料のスープに癒されようとする奴らなんか、いやだ。」

母は言った。

「ほら、それが本音。」

　父は言った。

「でも、みんなお米やちょっとしたお金や果物を置いていくものだから、実は無料ではないのかもしれないし。」

　母は言った。

「なんにしてもこんなことを考えている時点で、私たちはとうていお義父さんとお義母さんにはかなわないっていうことだし、あの味も作れない。そこは素直に認めましょう。」

「そうだな。」

　父が素直にうなずいたので、私は驚いた。

　昔だったら、ここからけんかになったところだった。

「それでも、やらないよりやったほうがいいだろう。そして俺が思うに、無料っていうのは、ほんとうはとても残酷なことなんじゃないのか？　結局はそれを相手が背負うことになるだろう。自分の得たものを。それはゆくゆく積もりつもって、その人を蝕《むしば》むんじゃないのか？」

　父は言った。

母は黙った。

私もはっとしていた。

「ただより高いものはないって、ほんとうなんだよね。」

母は言った。

「だからこそ、みんなちょっとしたものを置いていくんだ。それぞれが、たかがスープなのに、神様に試されてる。」

そのことを考え、みんなでしんとなった。

あの穏やかな祖父母の中にひそんでいた、他人に対しての真の厳しさ。それが私たちを打ったのだった。

「もちろん親父《おやじ》もおふくろも意地悪い気持ちではなかったと思う。ただ、俺の思うに、彼らは自分のために積み重ねていたんだ。俺は料理を作るから、わかるところもあるよ。カウンターなのが災いして、うちの店では、飯を食わないでおしゃべりばっかりするお客さんもいる。棒のように細くてワインばかり飲んでサラダだけ食べていく人もいる。そこでいちいち憤《いきどお》っていたら、三流の店になってしまう。相手がどうあれ、ベストをつくして作る、出す、ただそれだけが俺を磨いていく。」

父は言った。

「そういうちょっといい話、離婚の前にしてくれりゃいいのに。」

母は言った。

「おまえのそういう口の悪いところが俺はいやだったんだ。」

父は言った。

雲行きがあやしくなってきたので、私は言った。

「みんながみんな、相手をほんとうに嫌いになって離婚できたら、いいのにねえ。」

切り札的な娘の発言にふたりはぴたりと黙り、豆スープの買い出しの話をしはじめた。最初はオオゼキで同じ材料を買ってきて、再度トライしてみよう、あなたもそうそうこっちにいるわけにいかないだろうから、うまく作ったら完璧《かんぺき》に同じ味で作れるように私に作り方とコツを叩《たた》き込んでいって。

母は最後に言った。

「お義父さんとお義母さんだって、最初からあの味を作れたわけではないかもしれない。今はまだむりでも、そのうちできるようになる。」

父はいい表情でうなずいたが、さすがに「おまえのそういうところを俺は好きだったんだ」とは言わなかった。

父は最近妊娠したその長い恋人とまだ結婚せずに、いっしょに住んでいるらしい。

そのかたわら父はこちらに顔を出して、こうして豆スープの話をしたり、私と母の様子を見に来る。

そんなものかもしれないな、とよく思う。なんとなく全員がいい位置を見つけて、そこになんとなくとどまっているうちにちょうどいい場所に収まるものなのかもしれない、と。

次に父が来たとき、父と母は自転車に二人乗りでオオゼキに飛んでいった。

そして材料をどっさり抱えて帰ってきた。

小さな台所はまるでイタリア料理店の厨房《ちゅうぼう》みたいになり、なんか違うんだよな、と思いながら私は見ていた。

音が違う。祖父母がスープを作るときの、あの異様な静けさ。にじみでる品格のようなもの。そして音楽のようなテンポ。父の動きには雑音が多かった。自分が作ってもいないのに傲慢《ごうまん》な言い方だけれど、そう感じた。

私は、うまくいってしまって私が豆スープの三代目にさせられたらいやだから、早く嫁にいこう、というような、今は先のことは考えまい、というてきとうな気持ちで彼らを見ていた。

しかし、両親が音を立てている中に身をひたしているのは、幸福なことだった。

もう終わった家庭の夢、淡い幻想。

ぱちぱちとはじけて消える泡。

目を閉じて聞いてみる。善《よ》かれ悪《あ》しかれ、このふたりのリズムから私は作られたのだから。


「てっちゃん、あんた帰ってきたの。」

近所の人は言った。

「たまたま里帰りしてるだけです。」

父は言った。

「あんたは前から見栄坊《みえぼう》で、いつもおしゃれしてたねえ。」

近所の人が笑う。

「いい素材の服が好きなんですよ。」

父は答える。

近所の人たちがそんなふうに父に声をかけるたび、私はいつも見張られているような落ち着かない気持ちと、温厚な関係でありさえすればこのまなざしに守られているんだという気持ちの両方を味わう。

父が作るスープはかなりおいしかったけれど、おいしすぎた。

あのぎりぎりのだしと塩の加減を、父もつかめずにいた。

「おかしいなあ、子供のとき、風邪ひくたびにおふくろが作ってくれたから味は舌がおぼえてるんだが。」

父は首をかしげた。

「もしかしたら、そのあとうまいものを食い過ぎてしまったか……。」

悔しがって、父は店からあまった寸胴鍋を持ってきて、ひたすらスープを作っては家に帰っていった。

「少しあけみさんにも持っていったら。」

母は父の彼女の名前を言い、

「そうだな。」

と父は言い、タッパーウェアにスープを入れて持っていったりしていた。

ここはまだお父さんにとって実家なんだ、と私は思った。

父は実家がなくなってからも、実家がほしかったのかもしれないな、とも思った。

母がだれかを見つけて再婚するまでは、あるいは私がここを出るまでは、こんなふうにたまに帰ってくるかもしれない。

　期間が限定された楽しさだけれど、ないよりはあったほうがいい。

　切ない彩《いろど》りだけれど、いつか私の結婚式に来てくれる父を思うと、思い出は多いほうがいいし、憎しみは少ないほうがいい。


「ねえ、パパの彼女の写真見せてよ。なんで正式に結婚しないの。」

　私は聞いてみた。

　茶の間でＴＶを見ながら、父が片手間に作ったパンナコッタをおいしく食べていた。うちの台所に全く似合わないエスプレッソポットで父はエスプレッソをいれていた。

「子どもが産まれたら、しようと思ってるんだけれど、しかも婿《むこ》養子に入るって言ってるんだけれど、相手がうんと言わなくてねえ。咲のほうに会う気があるならいつでも会わせるのに。」

　父は言った。

「いや、会う気はしないの、笑顔にはなれないから、まだ。ねえ、なんでその人を好きになったの？」

「だって、ママはほら、俺がいなくても別に大丈夫だろう。だけどあいつは俺がいないと。」

父は言った。いかにも男が言いそうなことだね、と思ったけれど、言わなかった。

「写真ないの？」

私は言った。

父はしぶしぶとスマートフォンを取り出し、写真を見つけて見せてくれた。

お店のカウンターにいるその女の人のルックスは……なんともかばいようがないものだった。とにかく地味で、目が細く小さく、あごが大きくて、丸っこい人だった。

「ううむ。」

私は言った。

「ううむ、だろう？　美人じゃないけど、写真よりもほんものは少しいいと思う。」

父は言った。

「こういう感じだなんて、意外だった。お父さんってすごい、なんだかすごい。」

私は言った。

「この人、今は何してるの？」

「銀座の古い喫茶店のママ。俺の店の上の階でやってるんだ。」

父は言った。

「すごい……。私、お父さんを誤解していたかも。きっとお店に来る、芸能人とかクラブの若いママとか、そういう人みたいな人だと思っていた。」

私は父がだれといるのか、ずっと細かく聞こうとしなかったし、祖父母も母も全く話題に出さなかったのだ。

「俺は若いころこの家がいやだった。この閉塞感《へいそくかん》、狭さ、地味さ、なにもかもが。この茶の間に座っているとこの世にイタリアなんてほんとうはないんだ、と思えた。はじめてイタリアに修行に行ってボロ下宿を借りて、窓の外にアルノ川が流れてるのを見たとき、歴史ある古い町並みに金色の光が満ちてるのを見たとき、俺は幸せだった。

咲、店を出すってどういうことか知ってるか？　いろんな人に頭を下げて、いろんな力や金を借りて、機嫌を損ねないようにして、お客さんにはたえず気を使って、その上料理をまずくしちゃいけない。まるでシーソーに乗ってるみたいなものなんだ。もっと、自由で明るいものかと思っていたら、中間管理職のそのまた中間みたいなものだったんだ。

独立してからはイタリアはもっと遠くに見えるようになった。

その中でも続けていくために結局いちばん役に立ったのは、おやじとおふくろのあり方だった。俺はきっとすごいマザコンなんだろう。親がよすぎると子どもにはよくないって言うけど、あれはほんとうだと思う。俺は、君のお母さんよりももっとおふくろに似た、この女性を最終的には選んでしまった。彼女は正式に結婚しようといくら言っても、咲さんが結婚するまではしないって言うんだ。」

父は言った。

「うわあ、すごいプレッシャー。」

私は言った。

ああ、その人が派手でいやな女であってくれればよかったのに。父がイタリアンレストランのシェフだから好きになって、友達を連れてきてはカウンターで飲んでいる、そんな女であれば、私はその人といっしょに父も切り捨てられたから気が楽だったのに。

と私の心の中は生まれてはじめての猛烈な嫉妬《しっと》で焼きつくされそうだった。

息が苦しくて、目の前が真っ暗になった。

もう別れない、きっとそのふたりは添い遂げる。そう思ったら、先がないような気がした。この茶の間で祖父母なしで展開していく母と私の人生が急に豊かさを失い、味気なく思えた。

「せめて喫茶店はたたんだら、と言ったんだけど。ああ、彼女の両親は俺の店が入ってるビルの持ち主なんだ。」

父は言った。

「うわあ、金持ち。」

私は言った。

「五階の奥で喫茶店をやっていて、今は近所のおじいさんとおばあさんばっかり来るから、看取るまではやめられない、彼らの生きがいを奪ってしまうっていうんだよ。」

父は困った顔で言った。

「じゃあ、パパって、あのビルの中に住んでるんだ！」

知りたくなかったので父が住んでいるところも知らなかった、私たちが出たあとの六本木のマンションで、彼女と住んでいると思い込んでいた。

「うん、あそこの六階が彼女の家、七階がご両親の家だ。」

父は言った。

「おばあちゃんは、会ったの？　その人に。」

祈るような気持ちで私は聞いた。

私の黒い気持ちは、父にはさとられなかった。祖母が彼女に会ってなければ、あるいは嫌っていればよかったと思った。

「一度、コーヒーを飲みに来たよ。」

父は言った。

「そして言った。『智子と咲は私がいっしょにいるから大丈夫』って。おふくろの顔を見たら、怒りながらも、言いだしたら聞かない俺の行動を、そしてあけみのことを、すでに納得したんだとわかった。納得したらおふくろは決して意見を言わない、そういう人だったから。」

「おばあちゃんって銀座に行くんだ。どんな服だった?」

祖母が懐かしくなり、私はたずねた。

「いつも着てるあの地味な服だったよ。」

父は言った。

「かっこいい。」

私はつぶやいた。

地味だけれど清潔で、最後の最後までいい匂いがした、あの服。

人生の最後のほう、トイレに這《は》っていく以外はほとんど寝たきりだった祖母は、起き上がれるときに持っている服を次々着替えては処分していった。そうやって清潔さを保ちながら持ち物を減らしていくの、と言っていた。

そしてある日、

「咲ちゃん、ユニクロ行ってきて、意外にまだ生きていたら、着るものがほんとうになくなっちゃった。計算間違いだった。」

と笑った。私も笑った。母も笑った。泣きながら笑って、自転車で駅前に走った。

だから祖母は死ぬとき、ユニクロの新品の全く見慣れない服に包まれていた。

「親がよすぎるってことはもはや呪《のろ》いみたいなもので、一生抜けられないんだ。ママもおばあちゃんと暮らしたら変わってきたしね。」

父は言った。

「もしも、ママが今のママだったら離婚しなかったかもしれないね」というようなことを言おうとして私は気づいた。

若い頃の母こそが、もと銀座のホステスで、スタイルがよくて、友達を連れて父が前に働いていたワインバーにいりびたり、華やかな笑顔で父をとりこにした悪い女だったのだ。

結婚生活の最後のほうは父がいないのをいいことに、思春期の私をほうって飲み歩いてばかりいた。父がなにを言おうととげとげしい対応をし、家の中は母のそんな態度でぎすぎすしていた。明らかに離婚の原因は母にもあるし、考えてみたら当時の母は、今の母とは別人の遊び人ぶりだった。きっと淋《さび》しかったのだろう。そして祖父母と暮らすようになって淋しくなくなったから遊ばなくなったのだろう。

「偉大なおばあちゃんの魔術に、まだ私たちはとらわれている上に、期待に応《こた》えてスープなんか作ってる。」

私は言った。

人間なのだから、祖父母の心の中にももちろんドロドロがあったはずだ。それはきっと、その偉大さで私たちをこんなふうにある意味ではしばりつけることで表されている。

ふたりは植物のように潔《いさぎよ》くだんだん枯れていった。

はじめは祖父が自転車で買い出しに行けなくなり、重い鍋を持ち上げられなくなって、祖母の手元が震えるようになって、もうそろそろ豆スープはむりだねと言ったとき、何月何日でやめます、と知らせをした。

最後の大行列は町のニュースになった。

列の最後まで飲ませてあげたいから、カップ一杯でなく一口ずつでいいです、と近所の人たちは泣きながらスープをわけあってありがたく飲んでいて、私も泣けたしママも泣いた。祖父母はただにこにこしていた。周りの悲しみはおかまいなく、ただ自分のするべきことをやりとげた人の微笑《ほほえ》みだった。

いつもふつふつと煮えていた豆スープの匂いが家の中にめったにしなくなり、祖父母にひとつひとつできないことが増えるたび、みじめではなく、ただしんと受け入れる気持ちになった。淋しさもあったけれど、陽が射《さ》すたびに確実に消えていく雪を見ているような、美しく儚《はかな》い、人生に寄り添う淋しさだった。

「まあ、しばらくはやってみたらいいんじゃないかな。なによりも君のママが安定するのがいいと思う。いつまでもやる必要はないけど、ほら、話し相手もできるし、人助けは気がまぎれるしね。」

父は言った。

いっそ父とその女性で、豆スープの店をやったら……？　と言いたかったけれど、父の選んだ道はそういう道ではない。もっと大きなお金や人々の利害や愛憎がからんだいばらの道だ。そしてその女性は多分一杯のコーヒーですでに豆スープに匹敵することをしているのだろう。

私の母が生きる、母を慰める道こそが、豆スープなのだ、きっと。

住む場所はあるし、慰謝料も過分にもらっている。もう私はほぼ自立している。そのような生活の中でやれることとして母はある程度本気で豆スープを再開しようとしているのだ。だれよりもなついた祖父母を悼《いた》むために豆スープを続けたいのだ。でなければ父に頭を下げてスープ作りを手伝ってほしいなどと言うはずがない。

私は妙に納得した。全部がある仕組みに操られているみたいな気分は軽くあったけれど、悪くなかった。体があるってそういうことかもしれない。寒い朝に祖父が買い出しに行くときの後ろ姿を思うだけで、祖母のふにゃっとした笑顔を思うだけで、ちっとも腹はたたなかった。

匂いでわかった。父の豆スープは日に日によくなってきていた。

あのおいしそうな香りがじょじょによみがえってきているのがわかった。違うけれど、そしてその違いはそう簡単には埋まらないけれど、あの言い知れないふわっとした香り、祖父母の創《つく》ったニュアンスとしか言いようがない何かが出てきた。

毎週のように父が寄ってスープを煮込むようになってから二ヶ月くらいになっていた。こんなにまとめて父に会うのは久しぶりで、父と母が離婚したことを忘れそうだった。

それどころか祖父母がここにいたことも、あるいはもういないことも、みんな夢みたいに思えてきた。

そう思って茶の間に座っていたら、店先に急に小さな女の子が現れた。私はそれも夢じゃないかと思った。カーキ色のチノパンと赤いセーターの八歳くらいの女の子だった。

でもそれはどう考えても人間で、店先にひたすらじっと立っていたので、私はやっと声をかけた。

「ごめんね、おばあちゃんが死んじゃったから、豆スープは終わっちゃったの。また作ったら配るからね。」

八歳くらいのその女の子は、首をふった。セーターの肩に髪の毛が小さく揺れた。

「なにか？」

私は言って、立ち上がった。

その子は、なにかの包みを持っていて差し出していた。

「これ、おばあちゃんのお仏壇にあげてください。」

「なに？」

私はそれを受けとった。そこには質のよいハンドクリームが入っていた。

「おばあちゃんの手がいつも荒れてたのを見てて、おばあちゃんが死んでから、ずっとそのこと悪かったなと思って。」

「ちゃんとあげておくね。」

私は微笑んでそう言った。

こういう人もちゃんといたんだ、と思った。

「こういうことは、生きてるあいだにしなくちゃ意味ないんだよ、って思ったんだけど、それでも持ってきたかったの。」

その子ははっきりとそう言った。

「しょっちゅうスープ飲ませてもらってたから、ママと。」

「ママはだれ？」

私はたずねた。

「二丁目の須崎《すざき》です。」

その子は言った。

「ああ、日曜日の早い時間にいつも来た人だね。そういえばあなたも見たことある。」

私は微笑んだ。

「私はもっと小さかったから、でも、いつも気になってたの。」

その子は小さい声で言った。

「ありがとうね。」

私は言った。

彼女にこの行動ができたこととそれにたまたま立ちあったことで、私までちょっと大人になったような、そんな気がした。後半は食洗機があったからまだよかったけれど、祖母の手はいつでも水仕事で荒れていた。それを見ていてくれた人もいたんだ。そしてその気持ちを行動にうつしてくれた。

こういうこともあるんだ、そう思いながら、お仏壇にハンドクリームをそっとお供えした。もしも天国にも手荒れがあるなら、これを使ってください、そう言いながら。

イラストレーターをやっている親友がグループ展をしていたので、銀座に行った。差し入れをして、ギャラリーにあったお菓子を食べてお茶を飲んで、のんびりとおしゃべりをしたあとで、私は父の店をエレベーターで通りこして、その喫茶店に行ってみた。

ほんとうは親友に会っている間中、寄ろうか寄るまいか迷っていて、悪いけれど絵は気もそぞろに見た。

そこはカフェとは決して言えない昔ながらの喫茶店だった。内装は白く明るく、清潔だった。お客さんが他に何人かいてカウンターで静かにコーヒーを飲んでいたので、私はなんとなくさっとテーブル席に座った。

静かにモーツァルトが流れているのも、古き良き喫茶店を思わせて懐かしい雰囲気だった。

「もしかしたら咲さん？」

その人はすぐに席にやってきた。

「来てくれたの？　ありがとう。」

「あけみさんですね？　はじめまして。父がスープ作りにかり出されていて、しょっちゅううちに来ています。おなかに赤ちゃんがいるときなのにごめんなさい。」

私は言った。

「あ、でも今日はそんなことで来たのではなく、友達の展覧会が銀座であったので寄ってみたんです。お会いしたくて。これまで長い間没交渉でごめんなさい。」

おなかがふっくらと出ている彼女があまりにも祖母に似ていたので、私はやたらにあやまりながら、そのままおいおい泣いて抱きつきたくなった。なにが似ているというのではない、しぐさや表情が同じなのだ。内側からしんしんと光を発しているような感じ。

この赤ちゃんが出てきたら、もう父は私だけの父ではなくなるし、来なくなっちゃうんだろうなあ、という気持ちもあった。

「とんでもない、ぜひ。」

彼女は言った。

「豆スープ、完成するといいね。」

言葉と、その人の考えに距離があることはいくらでもある。そのほうが普通だと思う。内心いろいろ思っていても感じよくふるまったり、こう言っておいた方がいいだろうということを言ったり。

でもその言葉はほんとうに言葉通りだった。

私は彼女をまじまじと見つめ、はい、とうなずいた。

カウンターのおじいさんが彼女を呼び、彼女はにっこり笑ってから走っていった。

「このロイヤルミルクティーの牛乳はどこで売ってるの、特別に濃厚でおいしいね。いつも聞こうと思ってたんだけど。」

おじいさんは言い、

「そこのスーパーのふつうの牛乳です。お茶の葉といっしょに煮て温めているから濃く感じるのかもしれませんね。」

そんな会話が音楽といっしょにゆっくり流れ、外からの陽ざしがぽかぽかと温かかった。

「昔インドに行ったときを思い出す。」

「あら、もしかしたらそれはヤギのミルクだったかもしれないですね。」

小さいお店だから、会話はそんなふうに普通に他の人にも聞こえていたが、耳障《みみざわ》りな言葉がないからただ流れていく。お客さんに愛されている店の雰囲気を、うちは店ではなかったが懐かしく思い出した。

「みんなお年寄りだからね、倒れてうちの名刺だけ持ってたって言われて、病院にかけつけて私が看取《みと》った人だっているのよ。だけど結局なにもできないんだよね。他人はなにもできない。だからここにいるときは少しでも幸せなのんびりした気分でいてほしくって。その席はあたたかいから居眠りしていく人もいるよ。」

戻って来た彼女は言った。

「いいお店ですね。」

私は言った。

「咲さん、思った通りの人だった。」

彼女は笑顔で言った。

「子どものことは、気にしないで。私が言うことじゃないけど、いつでもお父さんを呼び出したり、楽しい時間を過ごして。私はほんとうに大丈夫だから。」

これ、本気で言ってるんだろうなあ、イヤミでも意地悪でもないし、優位を示したいのでもないいんだろうなあ。もしも演技だとしたら、たいへんなレベルだなあ、と私は思った。その全身から発散されている素朴さ。どんなふうに育ったら、こんなふうになるのだろう？

「あけみさんのご両親は？　ご存命ですか？」

私はたずねた。

「それが、まだ意外に若いのよ。私の両親、二十代前半で結婚して私を産んで、私ったら一人っ子で溺愛《できあい》されて育ってしまって。ふたりはこのビルの上の階で元気に暮らしてるの。このお店は両親がビルの管理のかたわら趣味でやってたんだけれど、私が早めについだからふたりは引退して、国内旅行ばっかりしてる。恵まれてるってよく笑われるんだけど、うちの家族そんなに贅沢《ぜいたく》な暮らしはしてきてないのよ。家の中を見ればすぐわかるくらい。赤ちゃん産まれてもいつでも遊びに来てね。ほんとうだよ。のんきなのだけが私のとりえなのよ。」

「そうですか……あの、変な意味じゃなくて、心に余裕があるからいろんなことをゆるせるんですね。」

私は言った。

「親が若いから、私自身がまだ子どもの気分なのよ。きっと。」

あけみさんは言った。

「なんていうか、適材適所っていうか、父にはあけみさんが必要です。」

私は言った。

「うちにまだ出入りしてること、ごめんなさい。」

「もちろんいいよ、だって、お父さんにとって、咲さんたちはまだ家族でしょう。生きてる長い間には人はいろんなことしてくるじゃない。それまでなにもない人なんていないもん。」

あけみさんは笑った。

その笑顔が私の心の裏側にはりついて、とても痛かった。だれかにすがりついて、首を振って、ないことにしてしまいたいような、行き場のない痛み。

しかしこの痛みは、逃げさえしなければいつかいいかさぶたになるような予感がした。

「昔からのんびりしてるって言われたし、実際そうなんだけれど、単にいろいろ自分でてきぱきできないだけなのかも。」

あけみさんはおなかをなでながら言った。

「私、あけみさんのことを、シャンデリアや革のソファがあるような、水辺の高層ビルに住んでいる、華麗なる銀座の住民だと思っていたんです。」

私は言った。

「誤解していました、ごめんなさい。」

「銀座の住民っていうところだけは合ってるんだけどねえ。」

あけみさんは笑った。おなかの赤ちゃんも揺れた。のんびり揺れて、きっとおっとりしたいい子になるね、と私は思った。


それでもビルを出たとたん、不安は胸の中で小さい影をつくり私に訴えてきた。

子どもが産まれたら、父は家から消える。みんな、行ってしまった。祖父も祖母もいなくなり、豆スープにむらがる人たちも消え、にぎやかさが消えてしまった。今の私にはなんの価値もない……。

どんどん想像していくと怖くなったから、私は携帯電話を見た。

着信があったので見ると恋人だった。

電話をかけなおすと、彼は普通の声で言った。

「今仕事終わったんだけど、なにしてる？　晩ごはん食べない？」

「おでんならいいよ。」

私は答えた。

「またおでんか。でもいいよ、俺も今日はそういう気持ちだったから。」

彼は言った。

「代官山の駅に十九時でいい？　それなら行けるんだけれど。」

私は言った。

「今どこ？　家の近くじゃないの？」

彼は言った。

「銀座。」

私は言った。だんだん気持ちが落ち着いてきた。

「ああ、ルミ子の展示に行ったのか。」

「そうなの。」

「どうだった？」

「よかったよ。」

「来週俺も行こう。もう一回見ない？」

「いいよ、行くよ。」

そんないつもの会話をして電話を切ったあと、あの胸のざわめき、空洞になったような淋しさ、怖さがなくなっているのに気づいた。夫婦じゃないけど、これこそが夫婦の会話の効用と呼ばれるものだ。なにも話していないのに、収まるところになにかが収まった。

さっきの黒い闇《やみ》のような先のない気持ちを、あけみさんが私にもたらしたと思うのはとても簡単だけれど、私にはわかっていた。

私の心にうずまく「私を見て、だれか私だけを気にかけて、私はだれにも見てもらえない」という気持ちが、ただでさえいろんな人にいつのまにか見てもらえているあけみさんをうらやましく思う気持ちが、私の心から勝手にずるずると引きずりだした重さなのだ。

私には恋人もいるし、友達もいるし、母もいるし、父だってなんだかんだ言って遊びに来るだろうし、赤ちゃんも見に行ってよさそうだし、行かなくてもよさそうだし、いくらでも身の振り方はあるじゃないか。祖父母だって私を愛したまま死んだのだし。

父のイタリアンは最高だし、いつでも食べに行けるし。

また豆スープを配って忙しい日々になるだろうし。

あのハンドクリームの子も来るかな……。

その想像の広がりは私を再び自由にした。

あまりにも世界は広いから、私にとってどうでもいい人たちにも、それぞれにその人をどうでもいいと思わない人がいる。そして私にとってどうでもいい人の中に、やがてどうでもよくなくなる人が出てくるかもしれない。増えたり減ったり、満ちたり引いたりしている。自分を閉じ込めるのは自分だけ。閉じ込めたほうが楽だし、人のせいにできるから気が重くないんだけどねえ、と私は独り言を言った。

銀座の空はすっと青かった。私は悪い夢から覚めたみたいなすがすがしい気持ちになって駅に向かっていった。

きっとあの重さは、私の子ども時代の重さ。

自分はなにもできないのに目の前でどんどん両親の関係が腐っていくのを見ていた、自分の魅力ではどちらも引き止めることができなかった、あの無力感の名残だったのだ。

「お母さん、豆スープが完成したらどうするの？」

私はたずねた。

祖母ほどではないが、母は家の中をきれいに保っていた。小さい家でもみじめな気持ちにならない整然とした雰囲気。清らかな空気に満ちて、かわいい花が仏壇に途切れずに飾られている。

「やっぱ、配るかな。だいたいいい感じになってきたし、土日の午前中はひまだから。それによく考えてみたら、みんながいろいろ持って来てくれたからこそ、食費がかからなかったのよね。贅沢さえしなきゃね。」

母は言った。

「うちはどうせいつもお味噌《みそ》汁《しる》とごはんとおかず一品とお漬け物くらいじゃない。」

私は言った。

「そうなんだよね。で、私が知り合いの店の店番を週二でやってるから別に収入がないわけじゃないし。なんとかなると思う。おじいちゃんがお金を残してくれて、お父さんはみんなそれを私にくれたし。考えてみたら、なんでこんなに恵まれてるんだろう。」

母は言った。

「あけみさんっていう人もいい人そうだったよ。」

私は言ってみた。

「だろうなあ、あんなお人好《ひとよ》しが好きになる女なら、そうとうの強者《つわもの》か、もしくは同じくお人好しだよ。」

母は笑った。

「でもさ、なんかこう、善人大行進って感じで、ついてけない。疲れちゃう。」

「そこまで言うんだ、お母さん。」

私はびっくりした。

「死んだおじいちゃんも、おばあちゃんも、お父さんも、その彼女もみんな善人で、ポリシーがあって、生き方があって、私はさあ、なんか疲れちゃうんだよねえ。」

母はほんとうに面倒くさそうにそう言った。

「じゃあなんで豆スープを始めるの?」

私は言った。

「おじいちゃんとおばあちゃんを喜ばせるため。あと、人の喜ぶ顔を見たいから。でもね、あの強欲な人々の列を見てるほうが、私は善人たちを見てるよりもほっとする。育ちが悪いもんでね。あとはね、おばあちゃんのことをほんとうに好きだったから。」

そう言ったとたんに母は涙ぐんだ。そして言った。

「早くにお母さんを亡《な》くしたからさあ、もう、ひよこが親鳥のあとをくっついてくみたいに、とにかくくっついていたいくらい、好きだったの。嫁と姑《しゅうとめ》なのに、おかしいよね。おばあちゃんのしてたことをすると、自分におばあちゃんがくっついてくれてるみたいで、安心する。これも洗脳だよねえ、善人洗脳にやられたよ。あーあ、早く若い彼氏でも作ってくだらないこと言い合って、エロい温泉旅行でも行こうっと。」

「なんだかわからないけど、それはそれで徹底してていいと思う。」

私は言った。

「あんたはどうするの？」

母は言った。

「手伝うよ。」

私は言った。

「なんか週末の午前中にばたばたしてるのがしみついていて、落ち着かないんだよ、あれがないと。」

「朝、ちょっと忙しくして、いろんな人と世間話するのは健康にもいいよね。」

母は微笑んだ。

家の前に人がなんとなく集っていて、活気があって、笑顔があって、作業に追われる。そしてその人たちがひとりまたひとりと帰っていって、すっと家が静かになるときの独特の充実感。

あの雰囲気を私は心から恋しく思い始めていた。

やめたときは、やっと静かな土日が帰ってくるんだ、やっとだれにもねだられない日々が始まるんだとさえ思ったというのに。


「よし、あとは深めていくだけだ、たまにチェックに来るからな。」

父がそう言い、私たちはその日、ちゃぶ台で静かに完成したスープを飲んだ。

「うん、かなり近い。あの気持ちがよみがえってきた。」

私は言った。

「うん、懐《なつ》かしい！」

母も言った。

私たちは祖父母を失った重みに耐えかねていたのであり、それを晴らすためにこのスープ作りの時期があったのだと、淋しくなくなるまで時間を稼いでいたのだと、みんな心のどこかでは切なくわかっていた。

「もう一回聞くけど、咲、あんたさあ、若いのに、土日の朝、毎週あのスープ配りをまた始めるの、いやじゃない？　仕事だって楽じゃないでしょう？」

母は言った。

「大丈夫、けっこう生きがいになってきてたし、差し入れがありがたいし。たまに包んだお金をくれる人もいるし。」

私は言った。

「無料であることを変えなければ、そのへんを受けとることはよしとしよう。」

母は言った。

家族三人、あったかいスープを飲んで小さなちゃぶ台で顔をつきあわせて、もそもそしゃべった。昔からこんなふうに生きていられたら、私たちはバラバラにならなかったかもしれない。

でもそうしたら、あの女の人の笑顔も、おなかの中ですやすや寝ている赤ちゃんもいなかったことになる。

よく知らない人なのに、まだ見ない赤ちゃんなのに、いたほうがいいのだと、私はなぜかすんなり思った。

「ああ、おばあちゃんに会いたい。」

母が豆をもぐもぐしながらつぶやいた。

「俺も。」

父が言った。

「あなたの舌は、おばあちゃんからもらった宝物じゃん、店がんばって。」

母が言った。

「奥さんもいい人そうじゃない。」

「ちらっと会ったけれど、いい人だった。」

私は言った。

「そうなんだってな。来てくれたんだってな。」

父は言った。

「なんかさあ、やっぱり善人ばかりで、私はついてけないな。」

母は言った。

「みんないい人で、みんなが仲良く交流して、いい雰囲気でよかったね、っていういい話なんだけど、私はいいや。ここでスープ配ってるからいいや。赤ちゃんも会わなくっていいもん。」

「すねてるの？」

私は言った。父は黙っていた。

「いや、本気。」

母は言った。

「善人が嫌いって言ったって、俺のおやじやおふくろを慕ってたろ？」

父は言った。

「それは、善人だからじゃない。私のほんとうの家族になってくれたから。」

母はこのあいだと同じことを真顔で言った。

この人はこうだからいいんだよなあ、と私も父もきっと同時に思っていた。

「また清田さん来るかなあ。」

母はすぱっと話題を変えた。この切り替えも父には当時かなり不評だった部分だが、今はもう慣れたようだった。

「清田さんって、裏の家の？　親のほう？　娘のほう？」

父は淡々と答えた。

「娘のほう。名前の通り、清い人だよね。」

私は笑った。

清田さんというおばさんは月に二回くらい、ボランティアでスープ配りや、あいた器をどんどん食洗機に入れたり、洗ったり、拭《ふ》いたり、器を寄付してくれたりしていたのだ。

「あの、来ないときもあるっていうのが、こっちを重くしないね。」

母は言った。

「ほんと。毎週きっちり来られると、こっちも息苦しいもんね。」

私は言った。

「人って、勝手だね！」

母は笑った。輝くような笑顔だった。豆スープがないと元気が出ないのは母も同じだったのだろう。

また家の前に活気が戻ってくることを思うたびに、店もやっていないのに店をやるような喜びがあった。

「店っていいもんだろ。」

父が私の心を読んだかのようにそう言った。

「だいたい地味でつまんなくてたまらない仕事が多いけど、あの、おいしそうな顔を見ると、やめられなくなる。」

「そうだよね。店じゃないけど、わかるよ。」

母は言った。

「もちろんスープの日だったら、妻や赤ん坊を連れて来てもいいよ。」

「まあ、おいおいね。」

父は言った。

「だからたまにただで私たちにごはん食べさせてよ。お店で。」

母は言った。

「ただってのは、しめしがつかないから。五千円な。そのかわりトリュフとか生ハムとかはいちばんいいもの出してやるからさ。」

父は言った。

これからどうなっていくのか、だれにもわからなかった。

父は赤ちゃんが産まれてもまたこうしてやってくるのか。

一人で来るのか、彼女と赤ちゃんも来るようになるのか。

私はその赤ちゃんをうとましく思うのか、かわいくて好きになってしまうのか。母はどう対応するのか。いい感じになるのを拒み続けるのか、受け入れるのか。

清田さんやその友達がうろうろと家の中を動き、手伝ってもらっておいてなんだが、いいことをしている光線が彼女たちからむんむんと出過ぎていてなんとなくうとましく思うときがあっても、その後いっしょにおまんじゅうを食べたりするとすっかり忘れてしまう、あの人類ならではのおおざっぱで泥臭いいい感じが戻ってくるのか。

また行列を見てうんざり、人の待ち遠しそうな顔また顔にうんざり、でもスープを持ってふうふうしている人の顔がみななぜか美しく尊く見えて泣けてしまったりするのだろうか。

祖父母がいないから、案外不評で、さびれていってしまう可能性だってある。

母は豆スープの跡継ぎおかみになることで丸くなっていくのか。それともますます独自の世界を深めてへんてこになっていくのか。

そんな中、期待してないときに限ってだれかがたまに神様の代わりみたいに、ちゃんと見ていてハンドクリームを持ってきてくれるのか。

わからないことばかりで流されやすいそんな愚かな私たちを、とてつもなく大きくおおらかなものが、祖父母のいた頃と変わらずに庭の木陰からそっと見ていたと思う。それがいいものなのか悪いものなのか私にはほんとうのところわからない。ただ、人間というものを長い間ずっと見ている目みたいなものなのだと思った。

天使

「あんたなんか死ねばいい。」

その言葉を他人から実際に言われたのは生まれてはじめてだった。

「あんたさえいなければ。」

これもはじめてだった。ドラマなどではよく聞くんだけれど、実際にははじめてだった。

いろんなことをとことんのんきにかまえていた私はまずその事実にびっくりしていた。

目の前にいたのは、鈴木さんの美しく細い、サングラスで目がよく見えない元奥さんだった。

別れてからは実家の商売を手伝って、新しい彼氏もできて、とにかくうまくやっていると聞いていたのでほんとうに驚いた。

どうしても話があるというのでいやいや出ていったというのに、駅前のカフェで私を待っていたのはその言葉の洗礼だった。

あまりにびっくりして、私はただ目を丸くして黙っていた。

そしてなにか攻撃をしなくては、相手の度肝を抜くようなものがいい、と思い、ばしっと手を挙げてみた。

店員さんがあわててやってきたので、

「チーズバーガーのレギュラーサイズをお願いします。」

と言った。

鈴木さんの元奥さんは確かに驚いて黙った。

私も黙っていた。

そしてチーズバーガーが十分後にやってきたとき、私はためらいなくそれをぎゅっと押しつぶして、白い紙のホルダーに入れた。それから、猛然と食べ始めた。肉汁をこぼし、手を汚し、なるべくがつがつと効果的に。

鈴木さんの元奥さんは黙って席を立った。そして出口に向かってすたすたと歩いて行った。

多分これが私の見る最後の彼女の姿ね、と思ったら、なんだか愛《いと》おしく思えてきた。

完璧《かんぺき》な足の長さ、ヒールの高い靴。きらきら光る革のバッグ。今日のために用意したのではなく、さりげなくいつものものを身につけてきた、こなれた感じ。

去っていく、もう振り返らない。永遠に別れる。

勝った、と思ったが、考えてみたら鈴木さんの元奥さんはすごく高いグラスシャンパンとチーズ盛り合わせを頼んでいたのだった。

「伝票を置いて行きやがった。」

とお腹《なか》いっぱいで手の甲で汚れた口をぬぐいながらつぶやくのが、せめてものワイルドさだった。

私の部屋に鈴木さんが来るようになったのは、わりと最近のことだった。

子宮がんの手術をして子どもができなくなった私は、結婚というものに全く興味を持てなくなった。だからこその余裕が彼をとらえたのだろうか。

私は子どもが好きで当時も保育園でバイトをしていたくらいだったので、自分に子どもができないとなるとものすごくがっかりして、もうなんでもよくなってしまった。そして退院してからはますますバイトを一生懸命するようになっていた。後に保育園から乳児院にうつり、もっとたいへんな子どもたちに接するようになっても、働く幸せに変わりはなかった。

私は昔から、赤ちゃんや小さい子がかわいくてしかたないのだ。それしか確かなものはないというくらいだった。

どの赤ちゃんもどうか幸せに、と自分に子どもができなくなってからいっそう心から思えるようになったので、私は子どもたちから人気があった。子どもという子どもが私に寄ってくるのだ。

単純な私はそれはそれでいいような気がしていた。

私のお母さんもお父さんも、昔から私のことをいつもバカだと言っていた。

目先のことだけで、先々のことが考えられない人間だと言うのだ。

しかし、お父さんは事業に失敗して首をつって死んでしまい、お母さんは再婚してアメリカ文学のこと以外はなにも考えられない世間知らずの大学教授と仲良く暮らしているところを見ると、私がそんなに間違っていた気はしない。

父の輸入事業仲間との奥さま的なおつきあいをいつも欠かさず流行の靴やバッグなどもそれなりに意識していたお母さんだったが、今はそれらから解放されてとても地味な服装をしている。しかし地味なりにとても幸せそうだ。

そんなふうに反対方向にふれるくらいなら元々の自分でいたほうがいいんじゃない

の？　と言うと、お母さんは私をまたバカにする。人生とは変化して成長していくようになっているものだと言う。

しかし、私が手術をしたときに病室で泣きながらおなかをさすってくれたお母さんの姿を思うと、バカと言われても全然気にならない。

信じられないくらいに速く傷がくっついて元気いっぱいに退院した私が保育園に通いだした頃、鈴木さんがよく通りかかるようになった。よく見る顔だし、とてもいい感じの人だったので私はあいさつするようになった。

聞いてみれば、保育園のすぐ近くのビルの一階の、かわいいテラスがある小さなビストロでオーナー兼シェフをしているという。

それをきっかけにたまに仕事帰りに彼の店でごはんを食べていくようになった。

パンとリエットだとか、サラダとスープだとか、その程度の食事をさっと三十分ほどで。ワインは一杯だけ。コーヒーは家に帰ってからいれる、そういう感じで、真冬以外はまだ明るいうちにテラスで飲み食いしてすぐに帰っていた。

鈴木さんはだれに対してもにこにこしていたので、私に対してなにか思い入れがあると気づくことはなかった。

これもまた、お母さんに告げたらバカだと言われたのだが。

私にも多少言い分がある。私は死にかけたのだ。死にかけたんだから、もう自分のことだけ考えてもいいだろう。人が自分をどう思っているのかなんてどうだっていい。天気のよい夕方に今日は自炊しなくていいとうっとりしながら、軽くワインを飲んでおつまみを食べる、そのくらいのことにいちいち恋愛をからめるなんてめんどうくさかった。

鈴木さんはいつもただにこにこと私にあいさつをした。

そして彼はいつでも清潔にお店を磨き、シンクをふき、ふきんを干していた。バイトのお兄さんやお姉さんがいくらいても、彼は常に幸せそうにそうじをしていた。見ているだけで気持ちがよいくらいにきれいにしていて、すごいときにはそうじが止まらなくなって各テーブルの花を自ら入れ替えていた。彼が花瓶のぬめりまできれいに洗っているのを見て、心洗われる思いだった。清潔さに神経質な感じではなく、まるで陶芸家が土をいじるような自然な感じだったからだ。

料理はそこそこなのかもしれないが、鈴木さんのビストロは清潔さの上で信頼がおけて、そうじ嫌いの私にとっては家よりもくつろげる空間だったのだ。

「夢は夢のままにしておいたほうがいいとわかってはいます。」

保育園の近くの花屋の前でばったり会ったとき、突然に鈴木さんがそう言いだした。

鈴木さんの元妻は後に捨て台詞《ぜりふ》を言う前の時間にさんざん「計算していたくせに、無邪気なふりをして」と私をののしっていたが、その頃の私はそんなわけで人の考えなんて想像している場合ではなかったので、ほんとうにただびっくりした。

生きなおしていた私には色とりどりの花や自分の足のペディキュアや、手の爪《つめ》がつやつやしていることや、空の遠く抜ける青や、そんなものが目に映っていることのほうが重要だったのだ。

「なんの話ですか？　鈴木さん。わかりません。」

私は言った。

「この二年間、ひとめぼれしてからずっと、沙季《さき》さんは僕の天使でした。一日一回姿を見れば、それでほんとうに満足だったんです。」

彼は言った。

「じゃあ、このままでいいんじゃ。」

めんどうくさいなと思って私は言った。

「わからない、ごめんなさい、今、口が勝手に動いちゃって。」

鈴木さんはほほをピンク色にして言った。色白な彼のほっぺたはほんとうにきれいな色で、私は見とれた。靴の先が減っているのに、きれいに磨いてあるところもよかった。背が低いのにがんばって高い靴を履いてないところも好きだった。

鈴木さんの外見は、きゃしゃで白い安藤忠雄《ただお》という感じだった。きゃしゃで白かったらもう安藤忠雄ではないと思うんだが、てきぱきした動きや顔立ちは似ていた。

私は安藤忠雄の切り抜き写真集を自分で作っているくらいの安藤ファンなので、かなり好きなタイプと言えないこともなかった。少なくとも好きな感じのおじさんであるのは確かだった。おじさんと言っても多分十歳くらいしか違わないと思うのだが。

「鈴木さん、お子さんいます？」

私はたずねた。

「いいえ、いないまま離婚しました。今は独身です。」

彼は言った。

「な〜んだ。」

私は言った。子どもがいれば、結婚してお母さんになれる可能性があったのに、と思ったのだ。

「天使はむつかしいな……。」

鈴木さんはつぶやいて、そのつぶやきかたの他人がいない感じに私はちょっとうっとりしてしまった。男っぽいなと思ったのだ。

「じゃ。」

と言って私はその場を離れた。

これ以上会話をするとなにかが多くなってしまう、そう思って私はその場を走り去った。赤ちゃんもできないのに男なんていらない、そんなふうに思っていた。

昔一度、つきあっていた人との子どもを流産したことがあった。

それ以来そして子宮を失《な》くして以来、毎晩私が思うのは、なんでもするから流産の一週間前に戻りたい、ということだった。

そうしたら、もうベッドから出ないんだ。じっとして、トイレにもなるべく行かないで、赤ちゃんとおしゃべりして、どこにも行かないでって説得する。

そのことを考えると泣けてきて、私は星を見上げる。

どうしてこんなに赤ちゃんを好きな私に赤ちゃんができないの？

神様に問いかけると、神様はいつも答える。

「子どもが子どもなのはどうせいっときだよ。」

なるほど、と思いながらも私の涙は止まらない。

「その先が見たかったのに。どんな気持ちになるのか、知りたかったのに。自分がおばあさんになって、孫ができるのはどういう気持ちなのか。」

神様はもう答えてくれず、私はますます思う。

「いつかもう少し体が安定したら、孤児院で働こう。そして日本中から、自分が育てた子どもたちが孫を連れてたずねてきてくれるようになるんだ。」

そしてやっと、いなくなった赤ちゃんや子宮のことを忘れて眠ることができた。


「どうして今すぐ孤児院で働かないんですか?」

その話をしたとたんに目を丸くして鈴木さんがそう言ったとき、目が覚めた気がした。

「ええ? だって、今担当してる子どももいるし、まだ定期検診だってあるし……。」

私は言った。

「だって、今、あなた健康じゃないですか。ここでごはんを食べて、毎朝起きて、働いて……命にかかわる病気の心配があるんだったらますますしたいことに向かいなさいよ。あ、ごめんなさい、強い言葉を言ってしまって。」

彼のビストロにはそのときたまたまお客さんがだれもいなくて、バイトの人は買い出しに行き、アシスタントの人は仕込みをやっていて、鈴木さんは私にサラダと白ワインとグリーンピースのスープを持ってきたところだった。

たまたま今の仕事について話しているうちに私の毎晩の儀式のことを話すことになり、それを聞いたとたんに、鈴木さんはそう言ったのだった。

「たしかに。」

私は言った。

なんで私は待っていたのだろう、なにを？　再発を？　そう思ったらぞっとした。いつのまにか病気に誘《いざな》われていた。

「さしつかえなかったら、知り合いがやっている乳児院にご紹介します。僕、そこの炊《た》き出しに年に四回ボランティアで行くんです。ああ、でも場所が世田谷だから、そこで働いたら毎日天使を見ることができなくなってしまう。なんてことだ。」

鈴木さんは言った。最後のほうはほとんどひとりごとだった。

「いや、でもいい、沙季さんが嬉《うれ》しいなら、それでいい。会う機会はまたあるだろう。」

この行動力まるで安藤忠雄だ、と思って、私は鈴木さんをかなり好きになった。

乳児院へのボランティアからバイトに移行する期間で、鈴木さんはかなりきっちりと私を見ていてくれた。遠くで見る天使から部屋の汚い三十代前半の人間の女として、私をちゃんと見てくれるようになったと思う。

しかし、鈴木さんの気持ちはますますヒートアップしていき、毎日のように少しだけ家に来るようになった。前ほどしょっちゅう店に行けなくなったので会えなくなったことが鈴木さんは耐えられなくなったらしく、仕事が終わってから十分だけ顔を見たいというのだった。でないともう生きる希望がないと。

そして疲れて帰宅している私の部屋に来て、特になにをするわけでもなくお茶をしたり自分で作った軽いものを食べたり、そうじしていくようになった。と言っても、しっかりそうじをするわけではなく、私がお茶をいれているといつのまにかそのへんが整理整頓《せいとん》されているのだった。

「私、子どもができない体なんですけれど。」

私は言った。

「でも、たくさんの子どもがいるじゃない。神様はきっと沙季さんに子どもがいるといろんな子どもが焼きもちをやくから、今の状態でいいって思ったんじゃない？」

鈴木さんは笑った。

「部屋が汚くても私を好きですか？　天使でなくても。」

私は言った。

「腕に毛が生えていようが、部屋にごきぶりがいようが、洗濯物をたたむのが下手だろうが、あなたは天使です。」

鈴木さんは言った。

腕に毛のところが少し気になったが、耳に心地よい言葉だった。

「じゃあ、いつでも来てください。泊まっても、ごはん作っても、そうじしてもいいです。」

私は言った。

なんだか高飛車な言葉だったが、流れからみてしかたなかった。

そして引き出しから余っていた鍵《かぎ》を出した。

「はい、これ。今日からはいつでも来てくつろいでくださいね。」

鈴木さんは泣き出した。

泣くと人間は子どもに戻るんだ、と私は思った。「小さい鈴木くん」がどんなふうに泣いていたのか、子ども慣れしている私にははっきりと見えた。かわいくてしかたない、そう思った。どんな子どももかわいくてしかたない、どんな人間も子どもだった、そうなんだ、でも人間全部はいくら天使でも担当できないから身の丈でいい、と私は思った。はじめて子宮を失くしたことと流産したことを赦《ゆる》せた。

　ポケットから出した清潔なハンカチで涙をふいている鈴木さんを、私は抱き寄せて背中をとんとん叩《たた》いた。

　鈴木さんは私を抱き寄せ、熱烈なキスをして帰っていった。抱き寄せられたときにものすごい音で鈴木さんの胸の音が高鳴っていて、心臓発作でも起こされたらどうしようと思った。だれかの夢になるっていうほど恐ろしいことはない。でも多分これは世界中のお母さんが知っている重圧なのだろうと思った。自分に子どもができないぶん、この形でこれがめぐってきたのだろうかと。

「こわくて、これ以上はできない。」

　そんなことを言いながら、彼は夜道をスキップして帰っていった。

　ホームランを打った野球少年みたいに。

　私は思った。

　たくさんのものをいろんな年代の鈴木さんからいつのまにかもらっていたのは、私のほうだったんだと。タイムスリップしたみたいに、いろんな歳《とし》の彼が今の彼に入っていた。

　ほんとうに自然な形で人を好きになると自分は決して損なわれないということを、

私は鈴木さんが来るようになってますます理解するようになった。

彼はさっとおかずを作ってどんどん冷凍していってくれた。ワインも冷蔵庫に冷やしてくれたし、そうじまでほんとうにしてくれた。

忙しいのにそんなことをしながら、彼はますます元気になっていくのだった。

乳児院の炊き出しのときも、彼は子どもの好きなものを研究してすてきなメニューを出すようになり、ますます人気が出て近所の人たちも来ては募金をしてくれるようになった。

そして私たちはまだ肉体関係を持っていなかった。

このままでいい、今が続いてほしいという雰囲気が私たちを強く支配していたのだった。

「さっき、前の奥さんが駅までいらしたよ。シャンパンをただ飲みしていった。」

鈴木さんが来たとき、私はそう言った。

気を使うつもりが中学生以下の敬語になってしまったし、とがめる雰囲気もつい出てしまった。私は赤くなった。

鈴木さんは、

「ええ？　彼女とはもう一年くらい会ってないのに。」

と言った。

「なんだかえらく怒っていたよ。」

私は言った。

先方の度重なる浮気から始まって先方が言いだした合意の離婚だから慰謝料もなく、今はただのバツイチだと彼は言っていたし、反応を見るとどうもほんとうみたいなので、私も首をかしげた。

「にしても、元奥さんはえらく私とタイプが違うね。」

私は言った。元をつけるのを忘れずに。

「私は毛が長く、目は大きめ、おしりが大きい。彼女はつり目でショートカットで細身で東洋人モデルのよう。」

「学生結婚だったからなあ。」

彼は言った。

「パリで修行中に知り合ったんだ。」

「そうなんだねえ。人に歴史ありだねえ。でも、結局なにを怒っていたのか、わからなかったんだけれど。」

私は言った。

「今のところ僕には特に連絡はない。」

生ハムを盛りつけながら、彼は言った。

「なんだろう？」

私は言った。

そんな根拠のない怒りで、人に死ねばいいと言えるなんて、すごいと思った。

おまえはいなくていいと言われてきた子どもたちと過ごしているヘヴィーな毎日を送っているだけに、今頃になってその言葉は私にかすかにしみてきていた。

バカと言われてきたことを多少は気にしていたけれど、バカのほうが、いなくていいよりもずっといいことなのだと、私は乳児院で深く学んでいた。

このしみてきているいやなものが病気の再発を呼んだらどうしよう、とちょっと心配になった。そうしたら今私を頼りにしている院長先生や赤ちゃんや子どもたちが、また淋《さび》しい思いをしてしまう。それだけが不安だった。

「きっと沙季ちゃんが天使だからだと思う。」

鈴木さんは言った。

「まさか元夫が天使を手に入れたとは思わなかったんだろう。別れるとき『とりあえず今は別れましょう、また時期がきたらいっしょになれるかもだしね』なんて言っていたのは、本気だったんだな。一年前に会ったときも、全く心が動かなかった。僕から好きになった女だったので別れてからずっとうじうじしていたんだけれど、沙季ちゃんに会ってからは、なんの迷いもなくなった。それでおかしいと思って、調べたんだね。多分。」

「人間ってたいへんね。」

私は言った。かなり機嫌悪く。

「そして、鈴木さんは、私だけでなく……女を好きになるといつもそうやって長く夢中になるのね。」

「初焼きもちだ！」

鈴木さんはものすごく嬉しそうに笑った。

そうしたら突然に、人のいやな思いを向けられたことで細胞が影響されそうな再発のことと共に、まだ彼と寝ていないことがものすごく気になってきた。

「なんで私と寝ないの？」

私は言った。

「……緊張して起《た》たないと恥ずかしいから。」

真っ赤になって鈴木さんは言った。

あまりの素直さに私まで赤くなってしまった。

「それに、夢が叶《かな》ったらもう夢がなくなってしまうから。そうしたら仕事ががんばれないかもしれない。」

鈴木さんは言った。

私はとりあえずその場で服を全部脱いでみた。

そして、

「ほら、毛もあるし、穴もあいているし、乳首も案外黒っぽいし、ふつうだよ。ふつうの人間よ。」

と言ってみた。

彼は泣き笑いみたいな顔をして、私をそのへんにあった毛布で包み、

「どうどう。」

と言って生ハムの盛りつけに戻っていった。

でも、台所にたつその後ろ姿があまりにも優しかったのでとてもいい予感がした。

そのあと、私は服を着ないでずっと毛布をまとい、鈴木さんは普通に飲んで食べて帰っていった。私も仕方ないから彼の前でそのまま半裸で野人のように生ハムを食べ

た。

どうも今日は野性味のあふれる食事をする運命の日だったらしいと思いながら。

窓から鈴木さんを見下ろしたら、軽い足取りで帰って行くのが見えた。まるで手柄をとった人みたいに、やはりスキップをしそうな足取りで。

きっといいことがある、これからとても楽しいことがある、そういう気持ちになるような歩みだった。


それでも鈴木さんが帰ってしまうと、やはり元奥さんの言葉が耳に残っていた。

私がいなければ、どうなったというのだろう。

いや、鈴木さんは優しいから、いつしかどうにかなったのかもしれない。

そう思うと、突然自分がみすぼらしい愛人に思えた。

ちっぽけな部屋、毎日はくり返される果てのない肉体労働で終わり、特に夢もなく、お金もなく、愛されているのは錯覚で、夢はセックスしたらすぐ含みを失いあせてしまう。そんな存在に思えた。

熱いシャワーを浴びて、明日会う赤ちゃんたちや子どもたちに思いをはせてみても、子どもたちはやがて乳児院を出ていき、また新しい赤ちゃんが来て、世の中のいらない子どもらしきものたちはいなくはならない。果てしない闘い、この弱った体でどこまで私は残れるのか……そんな気持ちのまま、ばったりベッドに倒れ込んだ。

そして夢を見た。

私は病院らしきところにいる。

亡《な》きお父さんが深刻な顔をしてそこにいる。

「これも、これも、いろんな名前がついているけれど、沙季、つまりは抗がん剤なんだ。」

私はその薬のラベルを見比べて、首を振る。

遠くのソファでお母さんが泣いているのが見える。

行かなくては、と思うと、見知らぬ医者がやってきて、

「どの薬にしますか？　どれも免疫力を高める薬ですし、入院は検査入院です。」

とにこにこしながら言う。

お父さんはもういなくて、私は医者の目を見る。

ああ、また病気になってしまうのか。帝王切開でもないのにおなかに大きな傷を作って、入院するのか。今度はどこを切るのだろう。体を切ったあとのあの弱った気持ちをまた味わうのか。

そう思って私の目の前は暗くなる。

つまらなく見えるけど、やりたいことがあるし、私を必要としている人も、私を夢見る人もいるんだ、そう言いたくなり、つまらない人生ではないんです、と口を動かそうとする。

すると、火事だ、という声がして、目の前から医者がいなくなった。

病院の窓は突然に火に包まれ、私は付き添いだったはずのお父さんとお母さんを探すけれど、そして大きな声で「お父さん、お母さん」と呼ぶけれど、彼らは周囲のどこにもいないし、煙がすごくてあまりまわりが見えない。出口まで行かなくては、そう思うけれど、柱が倒れてくる。

どうしよう、と思っていると、煙の向こうから、松葉杖《づえ》をついた鈴木さんがやってきた。鈴木さんはそういえば昔スキーをしてものすごい骨折をして数ヶ月入院し、そのときに窓の下に見えるビストロをじっと観察していて、あまりにもいいお店だったのでそこで働こうと思ったと言っていた。退院してからそこでバイトをし、店のご主人がひどい肺気腫《はいきしゅ》で入院するとき強く頼まれてあわててパリに行き、ご主人が亡くなるまでひたすら修行をして、帰国してから必死で未亡人とお子さんたちを助けながら後をついだのが、あのお店なのだと言っていた。

なんで今、松葉杖なの？　と私が心の中で思うと、炎に照らされた顔で鈴木さんが、

「夢だけがだいじだから。」

と言った。

そんなインチキな、と笑いたいけれど声も出ないし体も動かせない私を松葉杖のままでおんぶして、鈴木さんは煙の中を、炎の中を脱出しはじめた。柱が倒れてきても、どこかで何かが割れても、鈴木さんはひるまずに一歩一歩歩いていく。なにも彼をはばむものはない。焼けた柱が目の前に倒れてきても、鈴木さんのことを害することはできなかった。

「もう病気には追いつかれない。僕の夢は強い力を持っている。夢に力を与えてくれたのは沙季ちゃんだ。」

と鈴木さんが言う。

私はまるで親の背中におぶわれた小さい女の子のようにうなずいた。

それなら大丈夫だ、と私は思った。私はいらなくないし、バカでもない。私に接する子どもたちも私がいるかぎり永遠にいらなくならない。鈴木さんと私はゆっくりつきあっていく。

かなり危機的な状況なのに、夢の中の私はそう確信しながら鈴木さんの背中でにこ

にこ笑っているのだった。

さきちゃんたちの夜

お金がたくさんない状態なのはまあしかたがない。同じ仕事をずっとしていてお給料が上がる気配もないが、他にバイトするほど時間があるわけではない。

私はある絵本作家の事務所で働いていた。その職場には社員が私しかいないから、采配《さいはい》も全部自分がやるしかなくとにかく忙しい。全体的に疲れきった感じになって帰ってくるので、お風呂《ふろ》だとか読書などの小さな喜びを楽しんでいるうちに時間がたってしまう。休んで体調を整えているのも仕事のうちだ、と自分に言い訳をしてずるずると現状を続けている。

このご時世だし、お金のためにずるく立ち回ることもできないし、自分で選んだ人生だからそこはきっぱりしている。

辞めはしない、それだけは決まっている。

ほんとうは経済的に苦しいことを訴えたいが、雇い主の資金も決して潤沢でないことを経理もやっている私がいちばんよく知っている。

私がいなくなったら、あの事務所は崩壊してしまう。私の役割は果てしなく重要だし、必要とされて好かれてもいる。

それに幸い私には頼めばいつでも送ってもらえる実家からの米がある。実家の近所にいる親戚《しんせき》が米屋さんなので、そこだけは強い。頼めば四季を通じて餅《もち》も送ってもらえた。主食は確保されている。

気持ちが重いのは閉塞感《へいそくかん》があるからだ。気持ちを保つのがいちばんむつかしい。一歩外に出ると「あと少しお金を出したら、もう少しいい思いができる」話題でいっぱいだからだ。一度気づくと都会ではどこに行ってもそれだということがわかる。

それがこの切り詰めた生活がずっと続くのではないかという重い気持ちをいっそう強くする。

人におごられないですき焼きを思い切り食べてみたいとか、セールに行って服を十着くらいいっぺんに買ってみたいとか、そんな気持ちがどんよりと頭を覆《おお》うときは、私にだってもちろんあるのだ。

しかし、おおよそ一年前に双子の兄を亡《な》くしたことで私はよいことも悪いことも「ずっと続く」という幻想から、いつのまにかすっかり逃れることができていた。

電話すればいつでも兄の声が聞けるはずだったし、ごはんを食べに行くことだってできたし、呼び出せば数日後には兄に会えるはずだった。

それなのに、まだそれができなくなったことを私の魂が納得していないのに、全《すべ》てが突然に永遠にかなわないことになった。

エビの養殖と輸入の会社を経営していた兄は、ベトナムの国内線の離陸失敗の飛行機事故で同じ会社の数名と共に死んでしまった。

私が生きているあいだにはもう二度と兄に会うことがないなんて、考えたこともなかった。

もっとこうしておけばよかった、というのはべつだんなかった。

けんかしようが、しばらく会わなかろうが、私は兄といつでも仲がよかったからだ。

ただその不在がしみてきて、先のことはほんとうにわからない、と実感するようになった。

だから、明日はこうだとか思うことは、希望的に考えること以外はできない。

かといって、どうなるかわからないからなんでもいいということではなく、このようであるといい、とただ願いながらひたすらに日々を暮らすのがとても大切だと私は気づいていた。

その金曜日の夜十時に、兄の娘である姪《めい》っ子のさきから、電話がかかってきた。

「ねえ、崎ちゃん、今日泊めてくれないかな。」

私も彼女も同じ名前の「さき」だった。兄が「妹の崎みたいに異様に健康な心に育ってほしい」という願いをこめてつけたそうだ。

兄は生涯私のことを勘違いしていただけで、私にだっていろいろある。ドロドロした心もあるし、不健康なことにひたりたいことだってあるのだ。でも、兄は最後に会ったときまで「おまえの反応はいちいちなんて健康なんだ」と感心していた。

ちなみにそのときのテーマは「嫁と姑《しゅうとめ》」だった。

「なんでおふくろと嫁はうまくいかないんだろう」みたいなことを兄が言っていたので、

「他人だからあたりまえだと思うし、どっちも兄貴が好きだから、当分はうまくいかないに決まってる、十年もすればそこそこ落ち着くんじゃないか」というようなことを私が言ったら、兄は目を丸くしてそう言ったのだ。

好きな人同士は仲良くなるはずと普通に思っていた兄のほうがよほど健康な心をしていると思ったのだが、黙っていた。

黙っていられるあたりは確かに健康かもしれないな、と自分で思った。

妹と同じ名前なんていう、そんな命名は奥さんがいやがるのでは？　と心配したけれど、奥さんごひいきの占い師にも推されたらしくその名前は無事採用され、たったひとりの姪っ子の名前はさきになった。

「さき」は成長し十歳になり、この「崎」に電話をかけてくる年齢になった。

「いいけど、ママは怒らない？」

私は言った。

「今、家出中なの。書き置きを残してきた。」

さきは言った。

「え？　そんな、やめてよ、そんなことに私を巻き込まないで。面倒くさい。」

私は言った。

「冷たいよ、崎ちゃん、私、今、ほんとうに落ち込んでるんだよ。助けてよ。」

さきは懇願の声で言った。

子どもの懇願の声は、大人が命令するときのトーンと同じだ。自分のつごうをぐいぐいとただ押しつけてくる。

でも、考えてみたらさきに起こったことはすごいことだよなあ、と私は思った。

パパが一年前にいきなり死んでしまって、ママは悲しみと突然増えた仕事の重圧でかなり落ち込んでいて、急にいろいろな変化が訪れ生活がみんな変わってしまったのだなあ。

そんな全てにいちばん順応できないのはパパの死から一年ほどたった、今くらいの時期かもしれないなあ、と。

私も毎日首をかしげているくらいなのだ。

なんで兄貴は最近電話かけてこないんだろう？　という感じだった。

なにかが足りない、あ、兄ちゃんだ、兄ちゃんに最近会ってない。

そう感じるたびに胸がきゅうと痛む。

かなり痛んだ遺体をベトナムで確認して、そのあまりの様子にがーんとなっているときはまだよかった。

しかし時間がたつと、もともといっしょに暮らしていなかったので全部なかったことみたいになっている小さな部分が自分の中にあるのに気づく。きっと逃避しているのだろうと思う。

このままなるべく長く逃避していよう、と思うのだが、さきが目の前に来ると生々しく兄の顔や肩の感じを思い出してしまうので、少しつらいのだ。

まあ、私と兄は双子なんだから、一卵性ではないと言ってもやはりさきだって同じ気持ちなんだろう。でも子どもは不思議に素直なもので、兄に会いたくなると私に会いたがるのだ。

さらにもともと私の母と義姉《あね》はそういうわけで、一般的な嫁と姑の例にもれずあまり仲がよくなかったから兄が死んでますます疎遠《そえん》になってもいた。兄と似ているばかりか私と母の仲がよいことで、義姉も私を少しだけ避けているような気もしていた。

その全部が人がひとり急に抜けたことへの自然なショックの反応なのだと思うので、私はとにかく時間が過ぎるのを、ものごとが落ち着くところに落ち着くことを、ただただ、眺めていたのだった。

「助けてよう。」

さきは涙声になっていた。

「しかたないなあ、じゃあおいで。駅まで迎えに行くから。」

私は言った。

「西口の駅前の書店の中にいる。」

　さきはばしっと電話を切った。

　なんだ、その切り方は、子どもってほんとうにしかたないなあ、と私は思った。なんでも自分の思い通りになると思っている。だだをこねたり、すねたり、操ろうとしたり、それが人間にもともとそなわっているものだと思うとびっくりするくらい巧妙な技だけれど、よくよく考えてみるともともとは限らない。

　もしかしたら、全ての人がそれを赤ちゃんの頃からの親とのかけひきの中でやむなく身につけていくものなのかもしれない。

　さいふと鍵《かぎ》だけ布バッグに突っこみ、サンダルをつっかけ、駅まで五分の道のりを歩いた。

　一人暮らしが長いのでそういうときまわりの人たちが全くの風景に見える。それぞれがちゃんと生活を持っていて、人間関係があって、それぞれの住むところを持っていることなどすっかり忘れてしまう。

　都会は人が密集しすぎていて、それぞれの個性は消え、群れになった魚みたいに見えてしまう。

　週末の夜で人通りは多いのに不況のせいか空気はなんとなく重く、解決できない何かがたくさん空間に満ちているように思えた。

しかし、私はそういうのを感じてもあまり気にしないたちだった。

小さな気晴らし、仕事への集中でそのような重さは拡散してしまう。私の足が今地面を踏んで歩いている、そのことだけが残る。

でももしこの時代に子どもだったら、そして足下が崩れさるようなできごとが起きたら、いったいどうなんだろう、と私は思った。

学校の勉強なんかにそんなには打ち込めないし、親がぶんだんにおこづかいをくれたりはしないだろうし、思うように映画やＴＶを観《み》たりもできないし、友だちは同じ体験をきっとしていないだろうし。

駅前の書店はにぎわっていて、こうこうとついた蛍光灯の明かりの下にぴかぴかの本がずらりと並んでいた。本を選ぶ人、立ち読みする人、歩く人、電話をかけている人。みな同じリズムの中にいて心地よい音楽を奏《かな》でているようだった。

マンガのコーナーのあたりにさきはいた。

さきは一心不乱にマンガの見本の小冊子を読んでいた。

眉間《みけん》にはしわがよっている。

「さき。」

私は声をかけた。

さっきまで泣いていた雰囲気はみじんも感じさせない満面の笑顔でさきはこちらを見た。

すると不思議なことに、予定が狂ってちょっと面倒くさいと思っていた気持ちも、トラブルに巻き込まれたくないという独特の色をしたもやみたいな気持ちも、すっと消えた。突然楽しい気持ちになってきたのだ。今日このときを、この人と共に過ごさなくてどうする、みたいな気持ちだった。

この化学反応にびっくりしたのは私だけではなかった。

さきも驚いていた。

「あれ？ なんか、崎ちゃんに会ったら、急に元気出てきた。さっきまでもう出口はないっていうくらいに目の前真っ暗だったのに、今は少し楽しい気持ち。あれってなんだったんだろう？」

とさきは言った。

好きな人同士が会うときはきっと気持ちは同じなんだ、と私は思った。

その前の少しこわいような重いような気持ちは、高跳び前の助走みたいなものなんだろう。

私は微笑《ほほえ》んで言った。

「せっかく出てきたから、お茶飲んだりして帰ろうか。おなかは減ってないの？」

「ごめん、減ってるんだ。待って、このマンガ買う。」

さきは言って、さいふを出してレジに向かおうとした。

「買ってやるよ。」

私は言った。

どうせ読んだら飽きて家に置いていってしまうのだろう、と思ったけれど、やはりそうしてやりたかった。その小さなおさいふとSuicaだけ持って、私が留守でないという保証もないのにこの駅までとにかくやってきた小さな肩を見ていたら、その肩が背負っているあまりにもたくさんの重圧を思ったら、そのくらいはいいだろうと思った。

たまには人生がさきにとって甘くないと、やっていられないよね、とつぶやきながらレジに向かった。

夜遅くに大人といっしょに外のお店に入るのが、さきにとっては嬉《うれ》しくてしかたない様子だった。

駅前の小さなカフェでさきはずっと落ち着かずににこにこしていた。私はビールを注文し、さきはジンジャーエールを頼んだ。私の頼んだポテトフライをさきがあまりにすごい勢いで食べているので、ピラフも頼んだ。

「うわあ、エビピラフって最近なかなか見ないよね。懐《なつ》かしい。」

さきは言った。

「あんたいったい何歳なのよ。その言い草。」

私は笑った。

「パパがエビピラフ好きだったから。」

さきは言った。

さきは勉強ができるタイプでもないし、運動も普通だし、目だつタイプの子どもではなかった。しかし兄ゆずりの不思議な勘がありときどき鋭いことを言う。

「うちのママがおばあちゃんとあまり仲良くないから、ママは家でエビピラフを作らなくなっちゃったんだよね。おばあちゃんのエビピラフをあまりにもパパがほめるものだからさ。それでさ、子どもって損だよね。そういうのをただじっと見てるだけ。みんなわかってるのに、言うと怒られるから、ただただじっと見てためてるんだよ。そうやって人間って作られていくんだよ。」

さきは言った。

「ほんとうに、そうかもね。」

私は心からうなずいて言った。

「このエビピラフもおいしいけど、おばあちゃんのエビピラフにはかなわない。食べたいなあ。私が食べたら、きっと私の体の中のパパの遺伝子が喜ぶと思うんだ。」

さきは言った。

「いっしょに行くなら雰囲気も悪くならないんじゃない？　おばあちゃんち、いつでもいっしょに行こう。」

私は言った。

「うん、そうしたい。おばあちゃんに会いにくいのは孫としては困る。」

さきは言った。

夜の会社帰りにちょっと和んでいく人たちがその明るい店には大勢いた。読書をする人、近所の友だちと待ち合わせておしゃべりする人、ひとりで飲んでいる人。その人たちから見て、よく似ている私たちは親子に見えるだろうか。幸せにいっしょに暮らして、同じ家に帰っていくように。

まさか兄そして父親を亡くしたふたりのよるべない集いだとは思わないだろう。

きっとこの店にいる人それぞれに同じようなことがある。

それぞれに違いのない風景の一部みたいに人々を見ているけれどそれぞれがきっと同じでありながら全然違うのだということに気づくのは、先ほどもたとえたように、海の中で出会うたくさんの魚たちに実は心があると思うくらいおそろしいことだった。

こんなにも大きく広すぎるから、自分のことだけちゃんと考えよう、と私はぼんやり思った。兄だったらきっと今この瞬間に「おまえはほんとうに健康的だな」と言いそうだと思いながら。

「ねえ、さき。なんで家出したの？」

私は言った。

「ええとね。」

さきは言いかけた。

そのとき私の携帯電話が鳴り、着信を見ると義姉からだった。

「崎さん、さきはそっちにいる？」

義姉は言った。声は落ち着いていた。もうさきが私といることがなんとなくわかっているのだろう。

「うん、今突然にやってきたよ。」

私は言った。

「できれば追い返してほしかったんだけれど、そういうわけにも行かないものね。泊めてもらえる？ 迷惑だったら、好きな時間にタクシーに乗せて返しても大丈夫よ。」

義姉は言った。

このところいつも刺《とげ》のある口調でしか話しかけられていなかったけれど、今日の彼女にはなぜか余裕が感じられた。

さては男ができたな、と私は思った。速いなあ！ と。

でも複雑な気持ちはあまりわいてこなかった。そういうものだよな、と思った。兄と義姉の関係は最後のほうは仕事の同志という感じだったから、義姉が亡くなった兄を長い間思ってひとりでいるというイメージはなかったのだ。

「うちは今日大丈夫、私明日仕事お休みなので。明日てきとうに連絡して送っていきます。」

私は言った。

「ごめんなさいね、お忙しくてお疲れなのに。よろしくお願いします。」

義姉は言った。

この、心の中をオープンにしない感じが、きっとあけっぴろげな私の母と合わないのだろう。義姉はなんでも自分で飲み込んでがんばるタイプだった。

もともとはバックパッカーでベトナムで兄と知り合ったという義姉は、一見地味ながらよく見るとものすごい美人でスタイルもよく、よくこんな人を兄はつかまえたなあと思うくらいだった。そりゃあ、未亡人となったら男の人がほうってはおかないよね、と私は勝手に納得した。

「今の、ママから?」

さきが言った。

「そうそう。泊まっていいって。」

私は言った。

「ねえ、もしかして家出の原因はママに彼氏ができたから?」

さきは目を丸くした。

「崎ちゃん、超能力?」

「いや、単なる推理。話し方の露骨な変化でわかった。」

電話の向こうの義姉の声は、この間までの不安と不幸の中で渦を巻いている場所から響いてくる声とまるで違ったのだ。少しあわてて先に進んで、その分少しいらいらしているくらいにハイになっている、そんな声だった。

「なんだかいろんな意味で、気持ちが変わった。崎ちゃんはすごいね。人を明るくする人だ。」

さきは言った。

「よく言われるんだけどね、さきのパパにもよく言われたよ。でも、自分ではわからないわ。」

中肉中背、三十五歳。特に目だつ特徴もなく金もなく今は恋人もいない。珍しいのは双子であることと兄がベトナムに会社を持っていることくらいだったが、なんとその両方が失われて、平凡度がぐんとアップした私だった。

「さき、ママは美人だからしかたないよ。男の人がほうっておかないさ。」

私は言った。

「私も自分の親じゃなかったら、そう言えるんだけれどねえ。」

さきは言った。

「もし彼らが結婚したら、私は引っ越して転校か、パパと暮らした家にあの人が暮らすわけでしょ。ありえないよ、それはありえない。」

子どもらしい勢いでエビピラフを食べながら、ごはんつぶを唇の端につけながら、さきは大人の表情をした。

その大人の表情が店の窓ガラス、夜の風景と店の中を等しく映している窓ガラスに映り込んでいた。

さきには明日がある、たくさんの良きことも待っている、でも渦中《かちゅう》にいたらそんなことは思えないということは痛いほどわかった。

「二、三年待ってもらったら？」

私は言った。

「そうしたら気持ちが少し和らぐかもよ。」

「そんな人生を送りたくないの。」

さきは言った。

「子どもっぽいことだってわかってる。でも、とことん話し合って決めたいの。納得いきたいの。」

「それもわかるなあ。」

私は言った。

なんでも白黒はっきりしたかった自分の思春期を思い出しながら。

いらないものは、なくていいとか。よくなるのなら絶対そうすべきとか。

そういうものではないっていうことを学ぶ前の、小さくて澄んだ池の中にいた私の清冽《せいれつ》な感情を。

「でもさあ、流されることもあると、けっこういいもんだよ。」

私は言った。

「だってあそこは私の家でもあるんでしょ？　権利っていうの？　あるわけでしょ？」

さきは言った。

「なのに、常に私は抜きで話は進んでいくんだよ。」

「まあ確かに、子どもは損だね。」

私は言った。

さきはうなずいた。

「とりあえず、一回気持ちをそらして楽しいこと考えよう。」

私は言った。

「お菓子やジュースでも買って帰って、好きなＤＶＤでも観て、楽しく過ごそう。」

「大人になったら、そういう小さな楽しみが大きな悩みを消してくれるの？」

さきはまっすぐに私を見て言った。本気で聞いていることがわかったので、いやみを言われているとは感じなかった。

「これはねえ、逃げじゃなくて、魔法なんだよ。私の場合。」

私は言った。

「時間を稼いで、チャンスをつかむのさ。その稼いでいる時間のあいだは、楽しくしなくちゃ魔法は起きない。」

「楽しくしてるうちに、本来の目的を忘れてしまったら？」

さきは言った。

「う〜ん、忘れられるくらいのことだったら、別に忘れてもいいんじゃないかな。」

私は言った。

さきは、忘れられるはずがないけど、と言いたげな目でしっかりとうなずいた。

その瞳《ひとみ》の中には信じられないほどの数のエピソードをたたえた未来そのものがあった。でかい、熱い、激しい、波音もものすごい、真夏の荒れた海みたいに。

私はそれにただ圧倒された。

なんと豊かで、そしてなんて優しいんだろう、なんでもかんでも飲み込んでくれる未来という概念は。

そう思った。

私にそれがあるのかしら、と思うとちょっと心もとなくなった。人生の折り返し点までもうそんなに時間がない。

私が時間をかけてビールを一杯飲むあいだに、さきはポテトフライとピラフをほとんどたいらげ、わきにそえてあったポテトサラダも半分くらい食べ、空腹が満たされたゆえのうつろな顔をしていた。

「ママ、彼氏ができても調子悪いみたいなんだよね。」

さきは言った。

「夜中にすごく泣いてたり、いきなり外出したり。それがデートならいいけど、一人だと心配だし。」

「まだまだ悲しいことから時間がたってないもの、しょうがないよ。当分はそんなふうかもしれないし。そんなに心配なら、なんで家出してきたの？」

私は言った。

「今日、ママの彼氏がもしかしたらうちに晩ご飯食べに来そうだったから。」

さきは言った。

「そうだねえ、まあ、おいおいは受け入れていかないとね。」

私は言った。

「慣れるよ。」

「うん、崎ちゃんといたらなんだかそんな気がしてきた。家にずっといるとなんでだかわからないけれど、どんどん考えがせまくなってくんだ。」

さきは言った。

店を出ると、いつもの夜道に淋《さび》しさの彩《いろど》りが全くなかった。

私は案外あの独特の気持ちが好きだった。この世に自分しかいないような、心細い感じ。

だから結婚できないのかもしれない。

みんなは行く先があったり待っている人がいるかもしれない中を、ひとりでひとりの家に向かって歩くと、夜がいっそう暗く見える。

あの様子は私に生きている実感をもたらした。

しかし、それがすっかり消えていた。

勢いのあるはずむようななにかが私たちを取り巻いていた。子どもはすごいな、と思った。いつもの道を、私の毎日の風景を全部取り替えてしまうなんて。

全てを動かすその力で暗く沈む今の世界をどんどんにぎやかにしてくれ、とまで思った。

きっと人間はみんな淋しいのが嫌いだから、いつのまにかおかしくなるのだ。

たとえば、よその人のことだから私はこう思える。

「ねえ、義姉《ねえ》さん。あなたにはこんな面白くて賢くてかわいいさきがいるんじゃないの？　まずさきとただただあったかい家を作りなよ。男はその後でいいじゃない。さきに毎日ごはんを作って、さきと買い物に行って、この上ない幸せな時間を作りなよ。そこから初めて次の生活をつくりだすなにかが始まるんじゃないの？」

しかし、義姉はそんなこと百も承知だということもわかっている。それがわかっていてもできないのがきっと大人というものなのだ。自分の枠のなかで酸素が足りなくなってただ外へ外へと逃げようとする。自分の持っている宝はごみくずに思える。そういうものだ。

さきは私の手をぎゅっと握っていた。

手が汗ばむし、うっとうしいし、もう片方の側にあるバッグは持ちにくいし、生き物の体がくっついているというのは全く気味悪い。

いつもだったらひとりで軽やかに歩くこの道は、淋しさと同時に自由とか可能性とか家に向かっている安らぎの気持ちに満ちているというのに、今は面倒くさいし重い時間だ。

でも、私の中のなにかが、それをよしとしていた。

スキンシップだとか、人のぬくもりだとかそんな言葉で説明できるものではなかった。

歩いていると自転車が私たちをどんどん追い抜いていく。狭い道なのに車もばんばん通っている。

力のない女ひとりと、女の子どもひとり。

どんなにがんばったって、この世ではかなり弱々しい組み合わせだ。

この夜の中では、闇《やみ》の押してくるこんな時刻には。今夜も地球上の夜の区域では、驚くような数の暴力が人の命を奪っているのだろう。

しかし、なぜなのだろう。

私とさきの組み合わせは無敵なものに思えた。お互いの力がこうして寄り添っていたら、こわいものはなかった。こんなちびっ子の細いからだがいったいなんだというのだろう。私は彼女に果てしなく力を与え、それがそれ以上になって返ってくる。わけのわからない大きな循環がここには感じられた。

ほんとうのお母さんは、毎日これがありすぎてこの生々しい力を忘れてしまうに違いない、と私は思った。体の奥底からわいてくるようなこの強さ、明るさを。

男がいなくなった、とても悲しい、不安定だ、だから他の男をとりあえず探してこよう、それで埋めておいてから考えよう、という気持ちも一方ではよくわかった。一見当然のように思えるその考えが微妙に機能しないのも、人間が人間という生きものだからなんだろうなと思いながら、月の明るい夜、私はさきとのんびり歩いていった。

家についたら、突然にさきが部屋にちらばっている本を集めて重ねはじめたので私は吹き出した。

「なにそれ、寝床を作ってるの？」

さきは言った。

「ううん、来たからにはなんか役に立たないと、と思って。」

「いいから、お風呂にでも入りなよ。タオル用意しといたから。」

さきの、そういう気の使い方の感触は義姉にそっくりだな、と思いながら私は言った。

これから客用のふとんをふとん乾燥機にかけないと、かびてるかも……ああ、面倒くさい、と私は思ったけれど、さきがちょこまかしているとまるで犬か猫を飼っているみたいで楽しかった。

カーテンを閉めて、鍵をかけて、安心な雰囲気に満たされた、あとはただ寝るだけのいつもの夜なのに、まるでこれから楽しいことがあるみたいな良さがあった。

最近、友だちを泊めてもこんなふうにはならないな、と私は思った。

お互いに仕事のぐちや美容の話なんかして、ぐいぐい飲んでぐずぐず言いながら寝るだけだ。

「崎ちゃん、シャワーの出し方がわからないよ〜。」

バスルームからさきの声がして、私は走っていってシャワーとカランの切り替えを教えた。

「さき、ほっそいなあ。ちゃんと食べてるの？」

私は言った。

「親が死んだんだよ、ごはんなんて食べる気になれないよ。」

すっぽんぽんで堂々とさきは言った。

「それはそうか。」

私は言った。

私も兄がいなくなってしばらく食が細くなったのを思い出した。

「でもさっきのエピピラフ、すごくおいしかった。」

さきは言った。

「なんかさあ、大島弓子のマンガで、奥さんが亡くなってだんなさんが、しばらく外食する、食卓がかなわんのだ、っていうようなセリフがあるんだけど、もうほんとよくわかるのよ。うちってどうせ、パパがベトナムにいることが多かったから、パパのいない食卓には慣れてるはずなんだけれどね。なんか根本的に違うのよ。食べる気なくなっちゃうの。」

「よしよし、いつだっておばあちゃんとこにエピラフ食べに行こう。」

私は言って、バスルームから出た。

さきの体に、あざとか暴力のあとがなかったことにほっとした。

そこまでは義姉もいってない、そんな心配はしなくていいんだ、と思った。

ついそう思いながらさきの体を見た自分も悲しかったけれど、あの美しい優しい義姉がそんなことをするはずがない、と思えるほど、私はうぶではなかった。人間は状況によってはなんだってする。どんなこともありうる。

ある日曜日、用事があって突然に事務所に行ったら、机の前にだれもいなくってキッチンで先生が奥さんではない中年の編集者の女の人と熱烈にキスしていた。うわあ、先生もうすぐ八十歳なのにやるなあ、と思いながら、そうっと事務所を出た。

そのあとも私は何回だって、上品なおばあさんである先生の奥さまとお茶をした。

庭の植え替えも手伝った。感謝の言葉を述べる先生と奥さまと近所のお高いお鮨《すし》やさんから出前でとったばらちらしを食べて笑った。

私の中ではその行動に矛盾はなかった。

そうしながらも、先生の最後の恋、いいんじゃないの、とさえ思っていた。でもなんていうのか、義姉に恋人ができたと知ったときも全く同じだったが、なにかしらちくっとしたものが心の中に残っていた。

そのちくっとしたものは、多分私の親がいつかどこかで自然に私に植えつけたものなのではないか、と思う。

パパとママはいつまでもパパとママではいられない。でも、そうであってほしいという子どもらしい夢の名残が、このちくっとくるちょっと傷ついたような感じなのかな、と思う。

さきのバスタオルを頭に巻くやり方は、義姉と同じだった。細い首筋もそっくりだ。ベトナムの家に泊めてもらってこの姿と同じ義姉を何回か見たことがある。

さきは義姉の几帳面《きちょうめん》さを受け継いで、私よりもずっと整理整頓《せいとん》ができそうなきちっとした佇《たたず》まいをしていた。

そうだよなあ、母親とふたりでこれからうまくやってかなくちゃいけないんだものなあ、さきもたいへんだ、と私は思った。自分で生活できるのはずっと先のことだ。

「アイスでも食べる？」

私は冷蔵庫をあけて、スーパーで買ってきた箱入りの細いアイスを出しながら言った。もちろん自分の分も一本取りながら。

「いいなあ、こんな暮らし。さき、崎ちゃんと暮らしたいよ。」

さきは言った。

「まだまだ独立まで、先は長そうだよね。」

私は言った。

「いつでも泊まりにおいで、あんたは特別いつでもきていいことにするよ。鍵のありかも教えてやる。」

「逃げ場確保できた。」

さきは言って、アイスを食べはじめた。

「でもさあ、崎ちゃんの彼氏が泊まりにくるときはないの？　今日もそれを心配しちゃってさ。どこに行ってもみんなそれぞれ彼氏が来てたら、私はどこに行けばいいんだろって。」

「今はいないからとりあえず大丈夫だよ。」

私は言った。

「そうなんだ、よかった。ずうっとできないでほしいな。」

さきは笑った。

「そうはいかないよ。」

私も笑った。

そこで電話が鳴った。義姉からだった。

私は出た。

「ああ、崎ちゃん、さきはいる？」

義姉は言った。さっきと違って声が薄暗かった。その大きな変化からも彼女の今の不安定さを感じずにはおれなかった。

「うん、お風呂入ってまさにもう寝るところ。」

私は言った。

「……そう。さきに伝えてくれる？　ママの友だちを呼ぶのをやっぱりやめたって。しばらくは呼ばないって。」

今から連れてこいって言われたら面倒だからあえて「もう寝る」を強調してみた。

義姉は言った。

「お友達って異性ですか？」

私はたずねた。

「……そうなんだけれど。心細い時期に男性にすがるのはよくないなって私も思って、しばらくは外でお友達としてつきあうことにしたんだ。プロポーズされたんだけれど。さきもいやだと思うし、早い気がする。」

義姉は言った。

「お義姉さん、美人だし、もてるでしょうからねえ。」

私は言った。

「なによその言い方、ばかにしてるの？　もう男を作ったってさげすんでいるの？」

義姉は怒りだした。

「そんなことないですよ。」

私は言った。これが世に言う逆切れというものか、と思いながら。

すぐ切れて怒って、それから泣いたり笑ったり。

兄は義姉のそういうところがかわいかったのだろうな、と思ったとたんのことだった。

私の声の中に、急に兄が降りてきた。

私は急にしゃべりだした。口が勝手に動き出した。

私はイタコなんかじゃないし、霊能力もない。なのに、なぜだろう。私に兄が重なり、私は自分を一瞬忘れた。

兄が強烈に近くにいて、私の目からは懐かしさのあまり自動的に涙がどんどん出てきた。

「幸せに、ただ幸せにいてくれればいいんです。そうしたらさきもだんだん幸せになる。さきの幸せを忘れないでいてくれれば、だれが来ようと、絶対にいつかみんな幸せになります。時間をかけてくれれば、なにも文句はない。

村田くんは、前からずっとあなたのことを思っていたし、歳《とし》は少し下だけれど、とてもいい奴《やつ》だと思います。時間さえかければ、大丈夫ですよ。

私は、兄は全然反対してないと思っています。あなたが夜道をお酒を飲んでふらふら歩いたり、ベトナムで乱暴にバイクを運転したり、さきを置いて出かけて長く戻らなかったり、夜中にめそめそと泣いていたり、そんなことがいちばん気になります。

ひとりで悲しまないで、さきといっしょに悲しんでください。泣けてくるときはさきの部屋におしかけて抱き合って寝ればいいんです。そして、きちんとしようとしないでいっしょにごはん食べてあなたはビールを飲んでそのままソファでうたた寝しちゃえばいいんです。そのうちさきとあなたはもっと仲良くなって、そこに自然と村田くんの笑顔が添うようになるでしょう。会社だって村田くんがいなくてはやっていけないんだから、仲良くやればいいんです。ただ、さきをいちばんにしてください。それだけが兄の願いなんです。」

私は私として話しているのに言葉の内容を作っているのは兄だった。

そして話し終わったら、兄は抜けた。

さきはびっくりして私を見ていた。

「……どうして村田さんの名前まで知っているの？　さきから聞いたの？」

義姉は言った。

「いや、今ね、チャネリング？　イタコ？　とにかく今、兄が確かにここにいたんですよ。」

私は言った。

義姉はなんともいえない気持ちを表すかのように沈黙した。

そして最後に言った。

「ありがとう、急には受け入れがたいできごとや意見だけれど、うなずけるところもあるの。でもなにより、今、変なものに接したような、気味悪いような、おかしな気持ちです。ありがとう。なんだか、よかったわ。」

義姉は言った。義姉は電話の向こうで泣いているようだった。

「私、兄と同じような顔ですけど、いやがらないで、また会ってくださいね。」

私は言った。

「もちろん大丈夫よ。」

義姉が笑った。

義姉が笑ってくれるのがこんなに嬉しいのは、きっとさっき兄さんが私の中にいた名残なんだね、と私は思った。


「すげ〜、崎ちゃん、イタコじゃん！」

電話を切ったとたんに、さきは言った。

「だって、私、ママの彼氏の名前、崎ちゃんに言ってないもん。」

「私も今、なにを言ってたのか自分でもあんまりわからなかった。ただ、兄さんがさきのママをすごく好きだったんだなってことはわかった。男の人ってああいうふうに自分の奥さんを思うんだ、ってはじめて知った。」

私は言った。

「ねえ、どういうふうに？」

さきは目をきらきらさせて言った。

「今後の参考にしたい。」

「ええとね、ちょうど、妹とかお母さんを思うみたいに。自分にくっついてるしかたないものなんだけれど、愛《いと》おしくてたまらないし、いなくなるなんて考えられないっていう、そういう感じ。生き物としてまるごと好きって感じ。包み込むみたいな……なんていうの、お母さんが子どもを思うみたいな。」

私は言った。

「ええっ、そんな感じ？　憧《あこが》れとかではなくて？　ショック〜。」

さきは言った。

「でも、なんかすごくいいものだったな。」

私は言った。

自分のまわりから兄のあったかい気持ちのしっぽがもう消えていくのを感じながら。

それはまるで、闇の中にきらきらと尾をひく流れ星のように。

深夜ＴＶを見ながらお菓子を食べてマンガ読んでジュース飲みたい、とさきが言うので、私のベッドと一段下のさきのふとんの周りはえらくにぎやかだった。

マンガを読んでいるさきはまるですごく小さい子のような顔をしていて、そうか、まだ子どもなんだなあと何回も私に思わせた。生意気なことを言っていても、まだまだ赤ちゃんの頃の顔をそのまま持っている。

もしかしたら大人もみんなそうなのかもしれない。

「崎ちゃん、今、仕事うまくいってる？」

さきは言った。

「だいたい、崎ちゃん、なにやってるんだっけ？　お仕事。」

「絵本作家さんの秘書なんだけど、その先生が八十なのね。でもまだ新作を描いてるわけよ。だからなにかと忙しいんだけど、お給料はすごく安いの。で、私は二十代のとき紹介でその事務所に入ったんだけど、まさかこんなに長くいることになるとは思わなかったなあ。先生の娘さんは結婚してアメリカに行ってしまって年に二回しか帰ってこないから、もはや私が娘がわりみたいなものなの。」

私は言った。

「げげ、このまま行ったら介護じゃん。やばいよ、今のうちに逃げたら？　姪《めい》っ子と商売やるんだって言ってってさあ。」

さきは言った。

友だちでもなかなかここまで率直に言わないので、私は思わず笑ってしまった。

「まず姪っ子と商売やる資金がないって。」

私は言った。

「だいたい介護ってさ、私にはそこまではできないよ。お身内がしかるべきことをすると思う。だいたいうちだって、じいちゃんはもういないけど、ばーばがいるんだから、私だってたいへんだよ。兄ちゃん死んじゃったし。この歳でいきなりの一人っ子だよ。

でも、最後の最後まで私は先生たちのそばに顔を出しているとは思うよ。それがさあ、義理っていうものじゃない。もしも私が逃げ出したら、そりゃあ戦争とかいろいろ体験しておられる方たちだから、恨まないとは思うけど、私が気持ち悪いもん。」

私は言った。

「うわ、おばあさんまでいるんだ。最悪だね～。」

さきは言った。

「もっと効率のいい仕事に変えたら？」

「じいさんばあさんを裏切るくらいなら、それでもやもやして生きるくらいなら、私は水商売のバイトしてでも辞めないよ。気持ち悪いのがいちばん嫌いなんだ。」

私は言った。

「崎ちゃん、男前！」

さきは言った。

「でもさ、お金はちゃんともらってるの？」

「ほんとうにあんまりもらえてない。年配の方たちだから、私が昔バイトはじめた頃よりも年取ってることも、物価が上がっていることにも気づかないんだよね。花嫁修業でちょっと来てもらってるくらいの気分のままなのよ。

もうちょっとこの状態が続いたら、ほんとうに副業でバイトしようと思ってるんだけどね。家族同然になって時々晩ご飯まで出てくるから、これからバイトに行くのでって言いにくいなあと思って、まだねばってる。」

私は言った。

「あ、でもそれは言ったほうがいいのかもよ。」

さきは言った。

「あ、この人、そんなにお金ないんだ、ってわかってもらえるかも。そうしたらもっとお金出してくれるかも。」

「まあねえ。今度相談はしてみるわ。暮らせてるから別にいいんだけど。逆に言うと、暮らせてるからがんばって伝えないのかもね。でも私、ベトナムに行きたいんだよね。兄貴をしのぶ旅に。そのお金がないのはちょっと切ないから、バイトはそのうちしようかと。」

私は言った。

「あ、それに私いっしょに行く。私の休みのときにしてよ。冬休みか、春休み。夏でもいいよ。」

さきは言った。

「海外にあんた連れてくの、面倒くっさいなあ。」

私は言った。

「いいじゃん、いっしょに店をやるんだから、運命共同体だよ。じゃけんにしないで。」

さきは言った。

「でもさ、な〜んだ、仕事続けるんだ。ほんとうにいっしょになにか商売しようと思ったのに。ふたりで田舎に引っ込んでさあ、ばーばも呼んで。」

「田舎?」

私は言った。

さきの、これからもっともっと長くなっていく足がふとんにぴよんと投げ出されている。

健やかに育ってくれ、と私はその足に願った。さきを遠くまで連れて行ってくれ。実のおばちゃんと商売しようなんて思わないくらい自由な場所へ。

「そう、都会だときっとお金が足りないじゃない。」

さきは言った。

「そうだねえ、店舗の家賃だけできっと精一杯だねえ。でも、ばーばの家の庭先とかなら商売できるかも。集客は見込めないが。」

私は言った。

「中途半端《はんぱ》な田舎&都会だからなあ。」

「なんか冴《さ》えないけど、いいよ。それも。」

さきは笑った。

「だいたい、なにを売るわけ?」

私は言った。

「ええとねえ、アジアン雑貨。」

　さきは言った。

「てきとうだなあ、だいたいもう雑貨は飽和状態だよ。売れやしないって。」

　私は言った。

「絵本も雑貨も服もみんな飽和状態なんだよ。」

「だめかあ。カフェは？」

　さきは言った。

「これからまさに飽和状態になるところかなあ。」

　私は言った。

「ばーばのエビピラフを売ったら？」

　さきは言った。

「あのエビピラフをそんなにひいきにしているのは、あんたとあんたのパパだけだよ。」

　私は笑った。

　脂《あぶら》っこくて、エビだけは兄の力で立派な、なぜかコーンが入ったあの強い塩こしょう味の。でも替えがきかない、どこにも売ってないおいしさのエビピラフ。

「それは、うっすらそう思ってた。でもエビの味には私もうるさいから。エビ英才教育を受けてるから。」

「だいたい、あんたあの会社をつぐんじゃないの？　将来。」

私は言った。

「可能性はあるけど、それって何年先よ。ここは古代王朝じゃないんだから、お世継ぎがすぐ後を継ぐってものでもないし。ママと村田さんが引退するまであと三十年くらいありそうじゃない？　そのあいだに若手が出てきて継ぎたがる気がするよ。」

さきは言った。

その具体的かつ的確な未来像に感心して私はうなずいた。

「私のところの先生だって、悲しいけどあと十年は現役で働くのはむりだろうしなあ。生きて引退したとして、事務所たたむのに一年くらいはかかりそうだと見積もっても、やっぱりあと十年以内にはたぶん私無職になるよなあ。」

相手が子どもだからあまりに素直なので、私もいつになく、あまり考えないでいた具体的なことをつらつらとしゃべってしまった。

「アンパンマンの先生を見なよ、九十過ぎても現役だったじゃない。まだまだいけるよ。」

さきは言った。

「それって、慰めてるの？」

私は言った。

「励ましてんの。」

さきは言った。

「じゃあ、十年後くらいになって、私がいきなり無職になって、さきがまだ家出したかったら、ばーばの家でカフェをやろうか。改装費用くらいばーばが出してくれるでしょう。」

私は言った。

「名前は？」

さきは言った。

「名前？　そこから？」

私は言った。

「名前をつけてイメージすると、現実になるのが早いって、パパが昔経営セミナーで習ってきてたよ。」

さきは言った。

「たしかにそうかもね、じゃあ、なんにする？」

私は言った。

「『ルフィ』かな。」

「あんた、今読んでるものの影響を受けすぎてるよ。長い目で見て飽きない名前がいいんだよ。いいじゃん、『さきちゃんズ』とかで。」

私は言った。

「ださいよ、それ最低だよ、まるでスナックじゃん、却下。じゃあさ、『ワンピース』っていうのはどう？」

さきは言った。

「あんまり考え方は変わらないよねえ。」

私は言った。

「だって、絶対一生好きだもん。私、つらいときはいつもこのマンガを抱っこして寝るんだよ。」

子どもの「絶対」はありえない分とてもいいなあ、思わず笑顔になるよなあと私は思った。そして、

「じゃあ、とりあえず『ルフィ《仮》』にしておくとして、それはどんなお店なの？

あまり広いとむりそうだから、まずは小さいお店というのは確かだとして。」

と私は言った。

「あのへん、夜開けているとほんとうにスナックになっちゃいそうだから、十九時には閉める感じにしよう。」

さきは言った。

「お酒は小さいビールだけにして、エビは安く仕入れて充実させる。ママのとこと取引をして。」

「エビピラフ、エビソテー、エビのピザとパスタって感じ？」

私は言った。

「料理はそのくらいで充分だよね。」

さきは言った。私は答えた。

「エビ嫌いは絶対来ないお店になっちゃうけどね。なんかもうイメージできてるじゃない。昭和の喫茶店みたいな。」

「そういうのがいいね、あまりおしゃれすぎず。内装はさ、もちろんエスニックなベトナムっぽい感じ。うちにありあまってる小物を持ってきたら簡単。クッションとか、布とか、椅子《いす》とか。店員さんは刺繍《ししゅう》のサンダルはいて、アオザイを着るの。」

さきは言った。

「アオザイ、自信ないなあ、この寸胴《ずんどう》な体。」

私は言った。

「その頃までにくびれておいてよ、いっしょにベトナムに作りにいこう。採寸してさあ。」

さきは笑った。

私の実家の庭に向かった縁側から廊下続きに作る店の間取りを紙に書いて、ふたりで内装を熱心に考えた。看板のデザインも考えた。看板の絵は私の勤め先の先生にほぼ無料で描いてもらうところまで考えた。

やがてさきが寝ないようにがんばりすぎて半分白目になってきたので、もう寝よう、と電気を落として、私はシャワーを浴びにいった。

そうそう、人が泊まっていくと先にお風呂《ふろ》をすすめることになるから、じっとりとしめったバスルームに入ることになるんだったよな、なんとなく便座までしめっていて、ひとりのときにはありえない不快感を覚えるんだけど、人のいる楽しさでプラスマイナスゼロになるんだったっけ、ということを思い出した。

これまでつきあった数少ないボーイフレンドたちの、裸の後ろ姿も思い出した。

人と共にいるのは個の自分にとってはとても不自然、でも種としては限りなく自然なことでもあるのだ。その自然さはまるで雑草がはびこっていくような、沼の底によくわからないにょろにょろしたものがどんどんうごめいて育っていくような、そんな意味をも含んでいた。

その感覚を忘れてはいけない。人の体臭、息づかい、手のぬくもり、しっとりした生温かさ。そういうものがただただ気持ち悪くなってきたら、種としての自分が危うくなる。

知らない人と満員電車で触れ合うことと、愛する人たちがそばで生臭くいることとは違うのだということを、体が忘れてしまう。鈍くなってそれらをいっしょのカテゴリに大雑把にくくってしまう。

バランスはいつでも取っていたいという意欲が突然にわいてきた。

さっきまでは「兄貴を思い出させるからさきには会いたくないな」とか「男が家をうろうろすると汚れるから当分彼氏はいらない」とか思っていたのに。唯一《ゆいいつ》の安らぎがひとりの部屋でお風呂に入ったりビールを飲んで思い切り好きな映画を観《み》ることだったのに。

出てきたらさきはそのままの形で寝ていた。

全くふとんをかけずに、片手にマンガの単行本、片手にペン。頭の上には彩色された将来のお店の絵。

いいなあ、この感じ、と私は思った。

寝ているさきを眺めているだけで元気が出る。

私の失ったものを持っているからではない。

私がまだ持っているかもしれないけれど、毎日あえて思い出して磨かなくてはいけないものを、こんなふうに軽く、なんなく思い出すことができるからだ。


朝起きたら、さきはもう退屈そうにマンガを読みふけっていた。

私はもっさりと支度をして、さきにジュースを自分にはコーヒーをいれた。

「夜が終わっちゃった、つまんない。朝だよ〜、もう。」

さきは泣きそうな顔で言った。

「いつのまにか寝ちゃった。」

「朝もいいものだよ。光がいっぱいでさ。」

私は言った。

寝る前にお菓子を食べ過ぎて顔をむくませて、目が腫《は》れたままで、ぐいぐいジュースを飲んでいる自由なさきを見て、私も今日が一回しかないということを思い出した。

「なんか旅行したあとの気分。今日夕方までいてもいい？」

　さきは言った。

「私もひまだから、いいよ。ばーばの家に行ってまたエビピラフでも食べる？」

　私は言った。

「うん、夜はさすがにママが淋しくなるから帰ってやらないとだけど、昼から夕方はその過ごし方ができたらいいな。私、エビピラフなら毎食でもいいよ。ばーば、家にいるかな？」

　さきは言った。

「そうか、さきはママに対してちゃんとそういう優しさを持ってるんだね、その大人っぽさにママも気づいているといいね。」

　と私は言った。

「そのうち余裕ができて気づくと思うけどね。」

　とさきは小さな声で言った。

　電車に乗って実家に行き、勝手に店の間取りを引き続き考えた。

「ここをつぶして、ここはぶちぬいて、カウンターを作ればいいんじゃ。」

「でもキッチンとのアクセスが悪いんじゃない？　やっぱり離れを作る方が楽かも。」

などと言い合いながら。

母まで、

「だとすると、一日何食エビピラフを作る勘定になるんだろう。」

などと言っていた。

なんだか実現しそうな、すぐそこにひょいっとその「ルフィ《仮》」ができあがりそうな雰囲気が満ちた。

「今日はエビがお兄ちゃんのエビほどいいものじゃないんだけどね。」

と言いながら、あの事故以来めっきり老《ふ》けこんだ母は、小さな背中でエビピラフを作ってくれた。

小さい頃、その背中を見つめる私の横にはいつでも兄がいた。

今は横に兄の子どもがいる。

同じようなあたりまえのうっとうしさ。そしてなにもかもが変わってしまった驚き。のんびりしてはいられないような複雑な気持ちがわいてくる。

私たちは兄の分も小さなお皿に盛ってテーブルの上に並べ、いっしょに食べているような気持ちでたくさん食べた。

「こういう場面にさきのママもいられるといいのにね。」

と母が言った。

「今は気が立ってるから。」

と悲しそうにさきは言った。

どんなに荒れているママでも、さきにとってママは世界でいちばん大切な人なのだということを、忘れてはいけないなと私は思った。

義姉とさきの関係がこれからよくなっていくのか、こじれていくのか。あらゆる可能性があるが、今ここにいるさきはママを大事に思っている、そのことは尊重しなくてはいけないと思った。

私にとって赤の他人でも、この子にとっては母親。

私にとって母親で、この子にとっておばあちゃんでも、この子のママにとっては他人。

そのことの不思議をまた思った。

そんなことがうまくいくわけがないから、人類はたいへんだ。

でも鷹揚《おうよう》にやっていればいつかそのうち勝手にてきとうな位置におさまるというの

もすごい。

そのような不思議な事態を収束できる能力があるのなら、人類にはなんでもできるのではないかと思わずにはいられなかった。

三人で「ルフィ《仮》」を家の中に描きながらしゃべっていたら、時間を忘れた。

実現するとかしないとかではなく、しばらくはそう考えているととにかく今の宙ぶらりんの気持ちを忘れることができる、そういう感じだった。いや、さきはそうでもなかったかもしれない、さきだけが本気だったのかもしれない。

私にとっては今の仕事の先があまりなさそうなこと、母にとっては息子を失ったこと、先の楽しみを奪うようなそんなできごとたちをすっかり忘れることができた。

「さきは本気だよ、本気でやりたい。転校してでもやりたい。早く大人になりたい。」

さきは何回も言った。

最後のほうはもはや怒っているみたいに真剣な口調だった。

「しつこいなあ、ほんとうにそうなったらちゃんとつきあうって。」

私は言った。

「ちょうどうちの先生が亡《な》くなって、うちのお母さんがまだ元気で、あなたの家には新しいお父さんが来て、おばあちゃんちに住んでもいいってママが言って、そんなことがうまくタイミングよく重なる日が来たらね。」

「きっと来るよ。そういうのって、なんかうまくいくものなんだよね。」

さきは言った。

「あんたは、ママと暮らさなくて悲しくないの？　むりじゃない？」

私は言った。

縁側でさきと並んで座り、デザートに大好物のすいかを食べながら。

このすいかが今年最後のすいかになるだろうなあ、と思って、私は大好きな歌を口ずさんだ。

♩今年最後のシャーベット、鼻にツーンと来るがいい♩

実家にいた頃、よくここですいかを食べながら同じように青空を眺め、聴いていた歌だった。

また夏が終わっていく。

すいかにはもう一年間会えないだろう、突然にお金が入ってきてあったかいベトナムにでも行かない限り。

それでも来年になればまたあたりまえにすいかを私は食べているのだろう。肉体があるかぎり。兄がいなくなろうと、いつか母がいなくなろうと、変わらず。

変わらないことなんて、その程度のことしかない。

でも、この夏は去年の夏のようではない。そして来年の夏もきっと様々な変化を連れてきて、去っていくのだろう。なんと凡庸な、あたりまえの、ありったけのよくあることをつめこんだ日々なのだろう。

ベトナムと双子という二大アドヴァンテージを失った私だったが、この人生も悪くはなかった。

「なんだったら、夜は帰ればいいし。ここから乗り継ぎ一回だもん、うち。私は高卒で充分だし。そんなの、すぐの将来だよ。」

さきはちょっと考えてなんなく答えた。

そうそう、そうやってリミットをどんどん超えていけ、と私は思った。

「すいかもうほんとうには甘くないね。」

とテーブルから母が言った。

「もう秋が来るってことだね。」

母を振り向いて私は言った。

母の顔が少し明るかったので、ほっとした。

お店のことを考えることで、母の心に偽りでもなんでもまた大人数の家族で暮らせる希望の光が輝いたことをありがたく思った。

大量のエピラフとすいかで満腹になりながら実家を出て、駅に向かった。

別れの道はいつでも少しだけ淋《さび》しい。

数少なかった彼氏たちのことをなぜかまた思い出した。

もういっしょにべったりといてもやることがないくらいに、一晩と少しいっしょにいて、いろんなものを食べて、いろいろな話をして。ああやってむりにでも他人といるとき特有の体のだるさがさきと過ごしたあとにもある。

早くひとりになって寝ころびたい、でも、なんとなく別れがたいね、というようなあの気持ちを生々しく思い出した。

八十にもなる作家先生でさえも彼女を作っているというのに、姪っ子が泊まりにきてやっと他人の感触をよみがえらせることができるなんて、私の恋愛能力はどんどん下がっている、いけないいけない、と思いながら。

「さき、送っていくよ。私今日はひまだから。」

私は言った。

「大丈夫、乗り継ぎさえ教えてくれれば。私もいざとなったら家出先にばーばの家を加えたいから、覚えようと思う。」

さきは言った。

「一個でも楽しいこと増やしておけば、逃げ場を増やしておけば、たいていのことがかわせると思うから。」

「わかった。携帯にメールで乗り継ぎを送るよ。」

そう言って、私は乗り継ぎの順番と注意事項をメールした。

「崎ちゃん、過保護だなあ。」

さきは笑った。

「だって、変な人がつけてこないかとか、心配だもん。やっぱ私行くよ、教えながら行くから。ママにも会っておきたいし。いつでもうちに泊めるって宣言しておくよ。」

ああ面倒くさい、なんて面倒なんだろう。

先生が生きてて恋愛してることも、遠くない将来亡くなることも、それで職場を失うことも。

まさかだけれど店の話がほんとうになることも、恋愛したりしなかったりするだろうことも、さきが兄に似ていることも、さきが泊まりに来ることも、義姉とうちの母の仲がよくないことも、義姉が恋愛してることも、これからさきが思春期で義姉の彼氏、会ったこともないのになんだか詳しく知ってるような気にさせられた村田さんっていう人との関係が気持ちの上でますますややこしくなるだろうことも、全《すべ》てが面倒ください。

でも、つまりはそれが生きていくってことなんだ、それがわかるといっそう面倒ください。

兄の分まで生きるなんて私には決して思えない。

ただ面倒だなと思いながら自分の人生をひたすら生きるだけだ。

いつも同じ服着てるね、いつも同じような音楽聴いてるね、わりとパターンにはまった毎日を送ってるね、そんなふうに人に言われる私だが、ブルドーザーのように粘り強く力強く毎日を乗り越えていく。

面倒の海を意外な方法で乗り越えながら、一見超平凡に、時に大胆に。

さきと並んで電車に乗っていると、足のあたりが触れ合っていて温かかった。

夏の海からの帰り道みたいだな、と思った。

休日の夕方の電車に乗ると少し淋しくなる。

空いている時間があることで、いつもしていることはみんな徒労であり幻だというような奇妙な気持ちになる。

そのこわさを忘れるために、明日の平日の予定へ向かってみなむりに漕《こ》ぎ出していくんじゃないかな、と思える。

　遠くのビルのあたりに夕日が沈んで、都会のかすんだ雲がわずかに蛍光のオレンジになって、ビルの窓を染めている、そんなものをぼんやりと眺めていると、確かなものがあまりにもないことに、愕然《がくぜん》とする。

　小さな生き物のおなかを満たしたり、いつのまにか小さくなっていた靴を買い替えたり、そんなことをするときだけ、人間は淋しさを忘れていられる。

　だから、ネイティブアメリカンの部族は、赤ちゃんが産まれるとあんなにも喜ぶのだろう。未知がまだそばにあると確信するために、赤ちゃんを抱き、キスをし、仲間に迎え入れるお祝いの食事をする。

　そんなことを考えていたら、さきが突然に言った。

「なんかさあ、今、あれみたいな感じなんだよね。あさり。」

「あさり？」

　我にかえって私はたずねた。さきは続けた。

「あさりの中身あるじゃん。急にあれになったような気がする。パパが死んだら突然に、固い貝があったところから、あのくらいむき出しになってるようなむき身気分なのよ。慣れるのかな、きっと慣れるよね！　慣れるよりほかないもんね。」

私は少し切なくなった。そして言った。

「慣れることなんかないよ、私だって、今夕焼け見て思っていたよ。兄貴が死んだことなんか全部うそだったらいいのになあって。単にベトナムにいるだけで、また帰ってきて、みんなで会えたらさきも楽なのになって。大人の私だってそんなものなんだから。さきはもっとむりしなくていい。」

「そうかな、でも、むりしとかないとかえってたいへんなんだよね。」

とさきは当事者らしく冷静に言った。そして続けた。

「でもさ、なぜか崎ちゃんやばーばといるときだけ、ちょっとあの貝の中にいた楽さが思い出せるんだよ。この感じ、多分ママには一生わからない。やっぱ遺伝子が喜んでるのかな。」

「そうかもね、気持ちの問題だけじゃないもんね、きっと。体の奥底に計り知れないそういう部分があるんだろうね。」

私は言った。

「それに、長く働いたとこのおじいさんおばあさんを裏切らない崎ちゃんは、私を裏切らないと思うしさ。」

さきは言った。

このようなタイプの正当な評価を、あの仕事に関して、一度ももらったことがないので私は少し嬉《うれ》しかった。

長いね、よくがんばってるね、先生も少しぼけてきてるから大変だね、いつまでいるの？　大丈夫？　不安じゃないの？　ちゃんとお金もらってる？

そんな言葉はよく聞くんだけれど。

私の聞きたかったのは、さきの言っていたほうの言葉かもしれなかった。

それだから働いているのかもしれなかった。

「さきは、どんどん裏切っていいよ。」

私は言った。

「私のことなんかすっかり忘れて、いろんな仕事を夢見てどんどんやってみて。おばあさんとおばさんと中途半端な田舎の住宅街で店をやるなんて冴えないこと言わないでさ。もっとぱっとしたこと考えな。」

「そんなこと言わないでえ。今は、崎ちゃんとばーばとやるお店だけが私の生きがいなんだから。それであの暗くてじめじめした日々に耐えられるんだから。」

さきはだだをこねた。

「もちろんそれはそれでいいのよ。でも、それにちょっとも縛られないで。」

私は言った。

「きっとパパもそう思ってると思うよ。」

「わからないじゃん。どの部分がほんとうになったりするか。私、私の言ってる夢ってけっこう予算を含めて現実的だと思うなあ。」

さきは言った。

「だれよりも案外現実的かもね、さきがね。」

私は笑った。

さきの家の玄関先で、義姉にさきを引き渡した。

上がってお茶でも、と言われて断ったが、さきにせがまれてちょっと家に上がった。

変わらないベトナムっぽいインテリアの布や刺繡がたくさん飾られたリビング、窓辺には兄の写真と家族の写真。

冷たい蓮茶《はすちゃ》をいただいていたら、義姉はさきの突然の家出を少しきつい声でしかった。

さきはいきなりだだっ子みたいな表情になって、ぷいっと自分の部屋に入っていってしまった。義姉は困った顔で、ごめんなさいね、崎ちゃん、と言った。

「困っていてもお義姉さんは美人ですね。」

と私が言うと、

「ばかみたいなこと言うけど、よく、お兄さんにもそう言われた。」

と義姉は泣き笑いをした。

みんな、失ったものが作った大きな穴をなんとかしようとしている、どう考えてみてもなにもかもがやっぱりそういう期間のドタバタ喜劇なのだ。

「なにせ双子ですから。」

私は微笑《ほほえ》んだ。

「さきちゃん、うちにいつ泊まりに来てもいいですよ。そういう場所があったほうがきっとみんな気が楽ですし。さきちゃんの教育に口を出したりは決してしませんが、大きい意味でみんなで育てていきましょう。」

「ベトナムの家族みたい。」

義姉は笑った。そのひまわりみたいな笑顔こそが、兄がいちばん愛したもの。

冷凍のエビをたくさんお土産に持たされて、私は電車に乗った。

最後に、

「さき、帰るよ。」

とさきの部屋をのぞいたら、さきはマンガを読みながらちょっと顔をあげて、

「バイバイ、ありがと、また行くね。」

と淋しそうに小さく手を振った。

あの部屋でこれからまだまだたくさん泣くことがあるのだろうな、と思うと胸がきゅんとした。

やっと自分の部屋に帰ると、すっかり夜になっていた。

さきの寝たふとんがきちんとたたんであり、飲みかけたジュースのコップがまだそのままあった。

そして夢のお店の設計図がわきに置いてあった。

私はちょっとだけ泣き出したいような気持ちになって、自分のベッドにどさっと倒れ込んだ。

「疲れた〜。ペースが乱れると疲れる。」

そうつぶやいたけれど、気持ちのよい疲れだった。

もっともっとペースの乱れるようなことを呼び込もう、と私は思った。ちょっとした淋しさも大きな淋しさも、みんなその中に溶けてしまえばいい。ちょっと寝て目が覚めたら、もらったエビをチリソースで炒《いた》めよう……そう思いながら、私は眠りの手前の世界にするっと入っていった。

目を閉じたら、なぜか木のカウンターやエビピラフや少し南国調になった実家の庭やアオザイを着ている母などが浮かんできた。まずいまずい、もう頭の中の世界に「ルフィ《仮》」がまるで現実の一部のように生まれてしまっている。その空間は今はないし将来もできないのかもしれないにもかかわらず、三人の中にきっと同じような感じで存在しているんだろう。それぞれがいろんなタイミングで想像のあの店にふと立ってみたりしそうだった。

頭の中ってなんでこんなに自由なんだろう、いいものだなあ、と私は寝ながら笑顔になった。兄が「おまえはほんとうに健康だなあ」とあきれた顔で言いそうなことをまた考えてしまった、と思いながら。

あとがき

フリーマーケットやごはんの会でたまに会う早希《さき》ちゃんという女性がいます。

絵がうまくてお母さんの手作りのすてきな服を着ていて、きっといろいろとんちんかんなところもあるんだろうけどとにかく憎めないかわいさで、みんなをほっとさせて、三十代なのに少女らしさが残っている、そんな感じの子。

みんなが彼女の名前を呼ぶとき「早希ちゃん」という響きの中に、なんとも言えない明るいものや楽しいもの、ほうっておけない気持ち、いろんなものがこもっていて、きっと今の日本にはこういうかけがえのないさきちゃんがたとえ目だたなくてもたくさんいるんだろうなと思いました。

それで、いろんなさきちゃんのある夜を描いてみようと思いました。

軽く思いついたわりには、このシリーズを書いている途中で親が死んだり、目を使いすぎてかすみ目になって目薬をさしさしがんばったり、けっこう長い中断を強いられたりしていろんなことがありましたが、基本的にはきつい時代をなるべく軽々と生き抜こうとするさきちゃんたちに優しい気持ちを託して、読む人も希望を持てるようなものを書きたかったです。

別府の温泉の露天風呂《ぶろ》で「新潮」の担当の加藤木礼さんと裸で星空を見ながら「装画はほしよりこさんがいいと思うんだ」「いいですね、なんだかイメージが浮かんできました」と話し合ったのも、この本らしい幸せなエピソードです。

私はほしさんの描く大人の人物（もちろん猫も好きだけど）のスタイルやムードがほんとうに好きで、一枚一枚の絵をいつもじっと長い間見てしまいます。ほしさん、急なお願いに応《こた》えてくださり、ありがとうございます。

デザインの望月玲子さん、書籍担当の斎藤暁子さん、古浦郁さん、「新潮」編集長の矢野優さん、楽しい本作りをありがとうございました。

またいつか、このメンバーで本が作れたらいいなと願っています。

２０１３年２月

よしもとばなな

文庫版あとがき

こんなこと自分で言うのはどうかと思うけれど、私はほんとうに短編から中編を書くために生まれてきたんだなあ……と読み返してみて改めて思いました。

現実的な細部にあまり興味がないということは常に変わりないのですが、ここまで自分ではない人物の内面を一人称で描くことができるのは、短編から中編ならではの楽しみだなあとも。

書いている途中目を痛めてしまって、ほとんど勘で書いた部分があることも今となってはすてきな思い出です。そんな私を、担当だった加藤木礼さんはほんとうにそっと優しくサポートしてくれました。

そのような種類の優しさはこの短編集のテーマと深く重なるように思います。

加藤木さんは決して目立つ人でもなく、その頭の良さをひけらかすこともなく、どんなに疲れていてもやるべきことをきちんとし、正直に真摯《しんし》にそして優しく生きています。

この小説の中のさきちゃんたちに対して思うように、私は加藤木さんにいつも言いたくなります。「神様がいるとしたら、神様はあなたのすばらしさをちゃんと見てるよ」って。

これからの日本が、さきちゃんたちや加藤木さんのような人たちが豊かで幸せな気持ちでいられるような社会であるといいなと思っています。

これからの十年はしばらく小説をほとんど書かず、いろいろなことを学んでみようと思います。

そういう意味でこれは記念碑的な作品であり、この中のいくつかの短編は自分がこの年齢までに果たしたかった水準に達しているので、長い間書いてきてよかったなあと思います。特に「鬼っ子」という小説が私は個人的に大好きです。私が言いたいことがいちばんつまっている小説だと思っています。

できることなら、この小説たちがゆっくりと長く存在し、みなさんの人生のいろいろな時期に読んでいただけますようにと願っています！

吉本ばなな事務所のスタッフのみなさん、新潮社の大勢の担当のみなさん、ありがとうございました。短編への情熱を取り戻させてくれた「新潮」編集長の矢野優さん、いちばん長くおつきあいをしてくださった古浦郁さん、たくさんの楽しい時間をありがとうございました。

そしてさきちゃんたちを美しい線で描いて生命を吹き込んでくださったほしよりこさん、ほんとうにありがとう！　大好きです。

２０１５年初夏

吉本ばなな

この作品は平成二十五年三月、新潮社より刊行された。

吉本ばなな著
とかげ

私のプロポーズに対して、長い沈黙の後とかげは言った。「秘密があるの」。ゆるやかな癒しの時間が流れる6編のショート・ストーリー。

吉本ばなな著
キッチン
海燕新人文学賞受賞

淋しさと優しさの交錯の中で、世界が不思議な調和にみちている——〈世界の吉本ばなな〉のすべてはここから始まった。定本決定版！

吉本ばなな著
アムリタ（上・下）

会いたい、すべての美しい瞬間に。感謝したい、今ここに存在していることに。清冽でせつない、吉本ばななの記念碑的長編。

吉本ばなな著
うたかた／サンクチュアリ

人を好きになることはほんとうにかなしい——運命的な出会いと恋、その希望と光を瑞々しく静謐に描いた珠玉の中編二作品。

吉本ばなな著
白河夜船

夜の底でしか愛し合えない私とあなた——生きてゆくことの苦しさを「夜」に投影し、愛することのせつなさを描いた〝眠り三部作〟。

よしもとばなな著
ハゴロモ

失恋の痛みと都会の疲れを癒すべく、故郷に舞い戻ったほたる。懐かしくもいとしい人々のやさしさに包まれる——静かな回復の物語。

よしもとばなな著
人生のこつあれこれ
２０１２

10年間続いた日記シリーズから一新。波瀾万丈な1年間の学びをつめた、あなたと考える人生論エッセイ。ミニボーナスエッセイ付！

よしもとばなな著
どんぐり姉妹

姉はどん子、妹はぐり子。たわいない会話に命が輝く小さな相談サイトの物語。メールに祈りを乗せて、どんぐり姉妹は今日もゆく！

よしもとばなな著
人生のこつあれこれ
２０１３

お金好き、野心家、毒舌家。ひとの心の姿は私の目にはっきり見えます。悪い心に負けずに生きる方法をさずける、読む道しるべ。

河合隼雄
吉本ばなな著
なるほどの対話

個性的な二人のホンネはとてつもなく面白く、ふかい！　対話の達人と言葉の名手が、自分のこと、若者のこと、仕事のことを語り尽す。

佐野洋子著
がんばりません

気が強くて才能があって自己主張が過ぎる人。あの世まで持ち込みたい恥しいことが二つ以上ある人。そんな人のための辛口エッセイ集。

佐野洋子著
シズコさん

私はずっと母さんが嫌いだった。幼い頃からの母との愛憎、呆けた母との思いがけない和解。切なくて複雑な、母と娘の本当の物語。

村上春樹著

海辺のカフカ（上・下）

田村カフカは15歳の日に家出した。姉と並んだ写真を持って。世界でいちばんタフな少年になるために。ベストセラー、待望の文庫化。

村上春樹著

1Q84

―BOOK1〈4月―6月〉前編・後編―

毎日出版文化賞受賞

不思議な月が浮かび、リトル・ピープルが棲《す》む1Q84年の世界……深い謎を孕《はら》みながら、青豆と天吾の壮大な物語《ストーリー》が始まる。

村上春樹著

東京奇譚集

奇譚＝それはありそうにない、でも真実の物語。都会の片隅で人々が迷い込んだ、偶然と驚きにみちた5つの不思議な世界！

山田詠美著

ラビット病

ふわふわ柔らかいうさぎのように、いつもくっついているふたり。キュートなゆりちゃんといたいけなロバちゃんの熱き恋の行方は？

山田詠美著

放課後の音符《キイノート》

大人でも子供でもないもどかしい時間。まだ、恋の匂いにも揺れる17歳の日々――。放課後にはじまる、甘くせつない8編の恋愛物語。

山田詠美著

ぼくは勉強ができない

勉強よりも、もっと素敵で大切なことがあると思うんだ。退屈な大人になんてなりたくない。17歳の秀美くんが元気溌剌な高校生小説。

おやすみ、こわい夢を見ないように　角田光代著

もう、あいつは、いなくなれ……。いじめ、不倫、逆恨み。理不尽な仕打ちに心を壊された人々。残酷な「いま」を刻んだ7つのドラマ。

さがしもの　角田光代著

「おばあちゃん、幽霊になってもこれが読みたかったの?」運命を変え、世界につながる小さな魔法「本」への愛にあふれた短編集。

くまちゃん　角田光代著

この人は私の人生を変えてくれる? ふる／ふられるでつながった男女の輪に、恋の理想と現実を描く共感度満点の「ふられ小説」。

ぶらんこ乗り　いしいしんじ著

ぶらんこが得意な、声を失った男の子。動物と話ができる、作り話の天才。もういない、私の弟。古びたノートに残された真実の物語。

麦ふみクーツェ　いしいしんじ著
坪田譲治文学賞受賞

音楽にとりつかれた祖父と素数にとりつかれた父。少年の人生のでたらめな悲喜劇を貫く圧倒的祝福の音楽、そして麦ふみの音。

ある一日　いしいしんじ著
織田作之助賞受賞

「予定日まで来たいうのは、お祝い事や」。十ヶ月をかけ火山のようにふくらんでいった園子の腹。いのちの誕生という奇蹟を描く物語。

安部公房著　燃えつきた地図

失踪者を追跡しているうちに、次々と手がかりを失い、大都会の砂漠の中で次第に自分を見失ってゆく興信所員。都会人の孤独と不安。

安部公房著　砂の女　読売文学賞受賞

砂穴の底に埋もれていく一軒屋に故なく閉じ込められ、あらゆる方法で脱出を試みる男を描き、世界20数カ国語に翻訳紹介された名作。

安部公房著　方舟さくら丸

地下採石場跡の洞窟に、核シェルターの設備を造り上げた〈ぼく〉。核時代の方舟に乗れる者は、誰と誰なのか？　現代文学の金字塔。

開高健著　日本三文オペラ

大阪旧陸軍工廠跡に放置された莫大な鉄材に目をつけた泥棒集団「アパッチ族」の勇猛果敢な大攻撃！　雄大なスケールで描く快作。

開高健著　輝ける闇　毎日出版文化賞受賞

ヴェトナムの戦いを肌で感じた著者が、戦争の絶望と醜さ、孤独・不安・焦燥・徒労・死といった生の異相を果敢に凝視した問題作。

開高健著　夏の闇

信ずべき自己を見失い、ひたすら快楽と絶望の淵にあえぐ現代人の出口なき日々——人間の《魂の地獄と救済》を描きだす純文学大作。

北杜夫著

幽霊
―或る幼年と青春の物語―

大自然との交感の中に、激しくよみがえる幼時の記憶、母への慕情、少女への思慕――青年期のみずみずしい心情を綴った処女長編。

北杜夫著

どくとるマンボウ航海記

のどかな笑いをふりまきながら、青い空の下を小さな船に乗って海外旅行に出かけたどくとるマンボウ。独自の観察眼でつづる旅行記。

北杜夫著

楡家の人びと
(第一部〜第三部)
毎日出版文化賞受賞

楡脳病院の七つの塔の下に群がる三代の大家族と、彼らを取り巻く近代日本五十年の歴史の流れ……日本人の夢と郷愁を刻んだ大作。

群ようこ著

へその緒スープ

姑の嫁いびりに鈍感な夫へ、妻の強烈な一発! 何気ない日常に潜む「毒」を、見事に切り取った、サイコーに身につまされる短編集。

群ようこ著

ちぞうはみんな知っている

母には金を吸い取られ、弟は無責任。天涯孤独と思ってみるが、何故か腹立つことばかり。身辺を綴った抱腹絶倒、怒髪天衝きエッセイ。

群ようこ著

おんなのるつぼ

電車で化粧? パジャマでコンビニ?? 肩ひじ張る気もないけれど、女としては一言いいたい。「それでいいのか、お嬢さん」。

三浦しをん著
風が強く吹いている
目指せ、箱根駅伝。風を感じながら、たすき繋いで、走り抜け！「速く」ではなく「強く」――純度100パーセントの疾走青春小説。

三浦しをん著
きみはポラリス
すべての恋愛は、普通じゃない――誰かを強く大切に思うとき放たれる、宇宙にただひとつの特別な光。最強の恋愛小説短編集。

三浦しをん著
天国旅行
すべてを捨てて行き着く果てに、救いはあるのだろうか。生と死の狭間から浮き上がる愛と人生の真実。心に光が差し込む傑作短編集。

田辺聖子著
夕ごはんたべた？
尼崎下町の中年開業医、吉水三太郎。自分勝手な子供たちに悩まされながら考える「人生の喜び」と「本当のやさしさ」とは……。

田辺聖子著
朝ごはんぬき？
三十一歳、独身ＯＬ。年下の男に失恋して退職、人気女性作家の秘書に。そこでアラサー女子が巻き込まれるユニークな人間模様。

田辺聖子著
孤独な夜のココア
心の奥にそっとしまわれた甘苦い恋の記憶を、柔らかに描いた12篇。時を超えて読み継がれる、恋のエッセンスが詰まった珠玉の作品集。

池谷裕二
糸井重里著

海馬
―脳は疲れない―

脳と記憶に関する、目からウロコの集中対談。「物忘れは老化のせいではない」「30歳から頭はよくなる」など、人間賛歌に満ちた一冊。

南伸坊
糸井重里著

黄昏
―たそがれ―

運慶？　タコの血？　「にべ」と「おだ」？　鎌倉から日光そして花巻へ、旅の空に笑いの花が咲き誇る。面白いオトナ二人の雑談紀行。

早野龍五
糸井重里著

知ろうとすること。

原発事故後、福島の放射線の影響を測り続けた物理学者と考える、未来を少しだけ良くするためにいま必要なこと。文庫オリジナル。

小川洋子著

まぶた

15歳のわたしが男の部屋で感じる奇妙な視線の持ち主は？　現実と悪夢の間を揺れ動く不思議なリアリティで、読者の心をつかむ8編。

小川洋子著

博士の愛した数式
本屋大賞・読売文学賞受賞

80分しか記憶が続かない数学者と、家政婦とその息子――第1回本屋大賞に輝く、あまりに切なく暖かい奇跡の物語。待望の文庫化！

小川洋子著

海

「今は失われてしまった何か」への尽きない愛情を表す小川洋子の真髄。静謐で妖しく、ちょっと奇妙な七編。著者インタビュー併録。

恩田陸著

ライオンハート

17世紀のロンドン、19世紀のシェルブール、20世紀のパナマ、フロリダ……。時空を越えて邂逅する男と女。異色のラブストーリー。

恩田陸著

図書室の海

学校に代々伝わる〈サヨコ〉伝説。女子高生は伝説に関わる秘密の使命を託された——。恩田ワールドの魅力満載。全10話の短篇玉手箱。

恩田陸著

夜のピクニック

吉川英治文学新人賞・本屋大賞受賞

小さな賭けを胸に秘め、貴子は高校生活最後のイベント歩行祭にのぞむ。誰にも言えない秘密を清算するために。永遠普遍の青春小説。

川上弘美著

センセイの鞄

谷崎潤一郎賞受賞

独り暮らしのツキコさんと年の離れたセンセイの、あわあわと、色濃く流れる日々。あらゆる世代の共感を呼んだ川上文学の代表作。

川上弘美著

どこから行っても遠い町

二人の男が同居する魚屋のビル。屋上には、かたつむり型の小屋——。小さな町の人々の日々に、愛すべき人生を映し出す傑作小説。

川上弘美著

なめらかで熱くて甘苦しくて

それは人生をひととき華やがせ不意に消える。わきたつ生命と戯れながら、恋をし、産み、老いていく女たちの愛すべき人生の物語。

新潮文庫最新刊

隈研吾著

建築家、走る

世界中から依頼が殺到する建築家は、悩みながらも疾走する――時代に挑戦し続ける著者が語り尽くしたユニークな自伝的建築論。

寺島実郎著

二十世紀と格闘した先人たち
―一九〇〇年アジア・アメリカの興隆―

激動の二十世紀初頭を生きた人物はいかなる視座を持って生きたのか。現代日本を代表する論客が、歴史の潮流を鋭く問う好著！

大島幹雄著

明治のサーカス芸人はなぜロシアに消えたのか

日露戦争、ロシア革命、大粛清という歴史の襞に埋れたサーカス芸人たちの生き様。三枚の写真からはじまる歴史ノンフィクション。

西岡文彦著

恋愛偏愛美術館

純愛、悲恋狂恋、腐れ縁……。芸術家による様々な恋愛、苦悩、葛藤。それぞれの人生模様、作品が織り成す華麗な物語を紹介。

とのまりこ著

パリこれ！
―住んでみてわかった、パリのあれこれ。―

セレブ？ シック？ ノンノン、それだけがパリじゃない！ 愛犬バブーと送る元気で楽しい「おフランス通信」。「ほぼ日」人気連載。

鏑木毅著

極限のトレイルラン
―アルプス激走100マイル―

目指すゴールは160キロ先！ 45歳を過ぎてなおも走り続ける、国内第一人者のランナーが明かす、究極のレースの世界。

さきちゃんたちの夜《よる》

新潮文庫　よ－18－33

平成二十七年九月一日発行

著者　よしもとばなな

発行者　佐藤隆信

発行所　株式会社新潮社

郵便番号　一六二―八七一一
東京都新宿区矢来町七一
電話　編集部(〇三)三二六六―五四四〇
　　　読者係(〇三)三二六六―五一一一
http://www.shinchosha.co.jp

価格はカバーに表示してあります。

乱丁・落丁本は、ご面倒ですが小社読者係宛ご送付ください。送料小社負担にてお取替えいたします。

印刷・大日本印刷株式会社　製本・株式会社植木製本所

ISBN978-4-10-135944-1 C0193